장 필립
티베

제롬
베르메

안 리즈
콩보

필로코믹스

10명의 철학자가 말하는
행복의 비결

장 필립 티베 : 기획, 시나리오
제롬 베르메 : 시나리오, 글
안 리즈 콩보 : 시나리오, 그림

이나무 : 번역

아숲

이 책에서 장 픽 드라 미란돌까지 소개할 뻔하게 했던 안 이두에게 감사의 말을 전합니다.

발랑탱, 샤를로트, 이보, 마티외와 루이즈에게도 감사의 말을 전합니다.
-장 필립 티베

로베르 브리사르와 올리비에-에르메스를 기리며
-제롬 베르메

우리에게 굳건한 지지와 지식, 영민한 조언을 아끼지 않았던 세드릭, 제롬, 장 필립에게 감사합니다.

에비와 아델, 사촌의 아이들에게도 안부를 전합니다.
-안 리즈 콩보

Original title: Philocomix
10 philosophes 10 approches du bonheur
Text by Jean-Philippe Thivet, Jérôme Vermer & Anne-Lise Combeaud
Illustrations by Anne-Lise Combeaud
© Rue de Sèvres, Paris, 2017
Translation copyright © 2021 by Esoop Publishing Co.
All right reserved.
This Korean edition is published by arrangement with Rue de Sèvres, Paris through Sibylle Agency, Seoul, Korea.

웃으며 배우고, 재미있게 성찰하기

아리스토텔레스는 철학이 놀라움에서 시작한다고 말했습니다. 우리는 놀랄 때 경이로움을 느끼고, 세계와 우리 자신에 대해 질문을 던지게 되죠. 게다가 근본적으로 이런 질문은 철학자들의 정신을 늘 괴롭힙니다. '좋은 삶'이란 무엇인가? 어떻게 자기 삶을 성공적인 것으로 만들 수 있을까? 어떻게 행복한 존재로 남을 것인가?

바로 이런 실존적 질문이 플라톤에서부터 니체까지, 에피쿠로스와 몽테뉴와 칸트를 거쳐 서양 철학을 대표하는 열 명의 거장을 소개하는 이 책의 길잡이가 될 것입니다. 이 책이 매우 재미있는 비결은 보편적인 문제들에 대해 위대한 철학자들이 남긴 중심 사고뿐 아니라 그들의 삶도 매우 실감나고 흥미롭게 들여다볼 수 있다는 데 있습니다.

물론, 교육적인 내용을 유머러스하게, 때로 코믹하게 소개할 때 혹시라도 전달되는 철학적 사고가 빈약해지는 것은 아닌지 걱정할 수도 있겠지만, 이 책은 전혀 그렇지 않습니다. 저자들은 유머와 담론의 엄격성을 성공적으로 결합했고, 이는 독자들에게도 큰 기쁨이 됐습니다. 웃으면서 배우고, 재미있게 성찰할 수 있게 해줬기 때문이죠.

정보의 출처가 다양하고 쉽사리 신뢰하기 어려운 시대, 많은 이가 자기 존재의 의미를 묻는 오늘날, 철학은 우리가 분별력과 비판 정신을 갖추고, 행복한 삶에 대해 스스로 성찰하는 데 어느 때보다도 절실하게 필요해졌습니다!

프레데릭 르누아

철학한다는 것은 모든 것에 호기심을 품는 활동입니다. 우리를 둘러싼 모든 것, 우리에게 닥치는 모든 것에 놀라움을 느끼는 활동입니다. 따라서 묻고, 뻔한 설명에 만족하지 않고, 고정관념에서 벗어나는 방법을 배우는 활동이기도 합니다.

간단히 말해 철학한다는 것은 자기 힘으로 생각하고 자신의 비판 정신을 실천하는 활동이라고 할 수 있습니다.

이 작업, 끝없이 삶의 의미를 찾는 일은 비록 보편적 진실에 도달하게 해주지는 못하더라도 우리 자신을 더 잘 알게 해주고, 어떤 형태의 지혜를 향해 나아가게 해줍니다. 결국, 인간은 한계가 있는 존재입니다.

자신을 잘 알아서 자신과 잘 지내는 것, 그리고 남들과도 잘 지내는 것이 바로 행복이 아닐까요?

장 필립 티베, 제롬 베르메
그리고 안 리즈 콩보

목차

플라톤

그리스 철학자.
아테네 철학 아카데미 설립자.
그리스 아테네 출생(BC 427-BC 347)

주요 작품 :
프로타고라스(BC 390)
소크라테스의 변명
(BC 390-BC 385)
파이돈, 향연,
공화국(BC 385-BC 370)

쓱쓱
싹싹

플라톤의
행복 프로그램

무엇보다도 자신을 잘 알아야 행복해진다.
플라톤의 정신적 스승 소크라테스는 이 세상을
가득 채운 미망과 싸워야 한다고 했다.
바로 그것이 올바른 삶의 열쇠다.

활동 지역

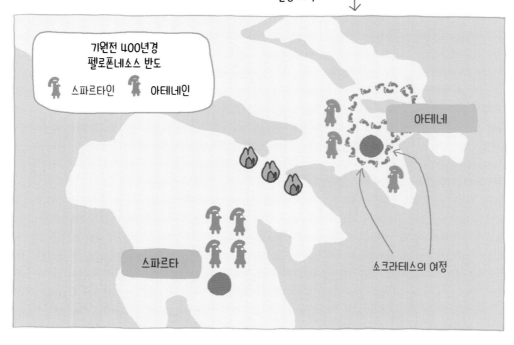

기원전 400년경
펠로폰네소스 반도

스파르타인   아테네인

아테네

스파르타

소크라테스의 여정

인간은 사회적 동물이다.
하지만 무리를 지어 살면서도 행복할 수 있을까?

그리스 사람들이 아테네 민주주의를 통해
실현하고자 했던 것이 바로 그것이었죠.
비록 약점이 있긴 해도 이 정치체제는
공동체의 선을 목표로 성립됐습니다.

때는 기원전 370년.
최근에 전쟁을 치렀지만
아테네는 모든 사람이
행복하기에 가장 적합한
조건을 갖춘 강력하고 멋진
도시국가였습니다.

물론이죠!

민주주의, DEMOCRACY
데모크라시란 무엇일까?

데모스 DEMOS
인민(= 시민)

크라토스
KRATOS
(권력이 있다)

철학자는 연구하고, 생각하고,
가르치는 사람입니다.

자!
'무사카'
3점이야!

그의 목적은 도시에서
이 공공의 선을 유지하는 것이죠.

이봐요!
거기 휴지
주워요!

하지만 구체적으로
어떻게 해야 할까요?

철학 아카데미

이분이 바로 플라톤 선생입니다!
가장 존경받는 철학자 중 한 사람이죠.

플라톤 선생님? 플라톤 선생님!

으으으...

뭐요?
누구요?

앗, 저희가 단잠을 깨웠군요.
방해해서 정말 죄송합니다!

철학 아카데미 설립자를
만나뵙고 싶어서 찾아왔습니다.

아, 미안합니다.
아시다시피,
젊은이들을
가르치는 일이
참 고단합니다!

이 학교에서는 행복을
어떻게 가르치시나요?

아, 물론 우리 사회에서
올바르게 살아가고
자기 삶을 꽃피우기는
생각보다 쉽지 않죠.

특히
젊은이들에겐!

와우!!!

우선, 아름다우면
행복할 가능성이 크죠.
명백하게 정해진 미적
기준이 있죠.

아름다운 육체는
8등신이어야 함!

아가씨들
안뇽!

헉,
대두!

그리고 남들에게 잘보이려면
교양이 있어야 하고, 언어를 잘
구사하는 능력이 매우 중요합니다.

'소피스트'라고 부르는 유명 순회
교사나 웅변가에게 수사학 기술을
배우려면 돈이 꽤 많이 들어가죠.

다음 수업에서는 어떻게 해야
『일리아드』에 등장하는 위대한
영웅들처럼 명성을 얻고, 용맹을
떨칠 수 있는지 알려드리죠!

!!!!!

우리 학교에선 청년들에게 운동, 문학, 수학, 음악처럼 건전한 과목을 가르칩니다.

학생들은 함께 토론하고, 우리 생각과 주장에 대해 반론을 펴기도 하죠.

그리고 사물의 겉모습을 뛰어넘어 그 본질을 꿰뚫어 보는 법을 배웁니다.

사람들은 플라톤 선생님이 몸짱 미남에 위대한 정신의 소유자라고 합니다.

오오, 부끄럽소.

제가 격투기를 좀 했고, 올림픽에 출전한 적도 있긴 합니다만...

진정한 천재는 바로 이분이죠.

제 영원한 스승, 소크라테스!

아, 물론이죠, 소크라테스 선생님! 그분 얘기를 막 하려던 참이었어요.

제 모든 이론, 철학, 그리고 이 학교까지 모두 그분이 만든 토대 위에 세워졌습니다!

으흑흑흑흑!!!

그런데 30년 전 스승님은 사약을 받고 돌아가셨어요...

전 그 충격에서 여전히 헤어나지 못하고 있어요!

잠깐, 스승님이 남기신 아주 상징적인 기념품이 제게 있어요!

값을 매길 수 없는 유품이죠!

흠... 죄송합니다만, 이게 대체 뭐죠?

이게 뭐냐니요? 선생님 발자국이지 뭐겠소?

제가 직접 진흙판에 떠놓은 거요.

선생님은 늘 맨발에 누더기를 걸치고 아테네 시내를 걸으며 가르치셨소. 그게 선생님만의 방식이었지.

정말 독특한 분이었어요, 무슨 말인지 아시겠어요?

미남은 전혀 아니고, 약간 비호감이 드는 인상이었지만, 누구든 함께 이야기를 시작하면 그 아름다운 정신에 푹 빠질 수밖에 없었죠!

40년 전 아테네

여러분, 헤헤... 안녕하세요!

헉, 대두!

자, 내 말에 틀린 곳이 있으면 곧바로 지적해주세요. 우리가 문제를 여러 관점에서 볼수록 정확하게 파악할 수 있겠죠?

음...그게... 그러니까...

소크라테스 선생은 정말 영리한 분이었죠. 아무것도 모르는 사람처럼 대화를 시작하지만, 상대가 차츰 자신을 둘러싼 세계에 대해 스스로 문제를 제기하게 하셨죠.

흥! 누가 내 의견을 묻는다면, 두세 가지 할 얘기가 있지만, 난 여자고 공적으로 말할 권리도 없으니 그냥 닥치고 가만히 있을 수밖에 없죠.

첫! 민주주의 좋아하네!

당신 좀 과격해!

게다가 문제를 제기하려면 시간이 걸려요, 소크라테스 선생! 한가하게 철학이나 하는 동안에 올리브는 대체 누가 딴답니까?

소는 누가 키웁니까?

어쨌든 난 사물의 이치를 알겠다고 쫓아다니고 싶진 않아요. 그럴 필요도 없고!

전쟁이 난다면, 신이 그걸 원했기 때문일 수도 있죠. 죗값을 받는 걸 수도 있어요.

신 얘기가 나왔으니 말인데, 혹시 델포이 신전의 신탁녀 피티아에 대해 들어보셨소?

피티아

피티아는 고대 그리스에서 가장 존경받는 신탁이었다. 델포스 신전 안에서 살면서 신성한 약을 흡입하면 신이 그녀의 입을 통해 말했다고 한다.

쏼라쏼라쏼라....

선배! 난 저 여자가 하는 말, 하나도 못 알아먹겠어. 통역 불가!

신전의 전면 박공에 이렇게 쓰여 있었다고 한다.(신이 전하는 말)

"너 자신을 알라!"

이 글의 의미는 간단합니다.
자신의 한계를 알라는 거죠.

우리는 흔히 세상을 잘 안다고
착각하지만, 자세히 들여다보면
모든 것이 겉모습과 달리 별로
명백하지 않습니다.

하지만 설령 내가 '안다고 믿는 것'이
있다고 하더라도 '아무것도 모른다'는
사실을 인정하면, 그때부터 모든 걸
다르게 바라보게 됩니다.

스스로 질문을 던지고,
그렇게 하나하나
나 자신을 알아가죠...

'철학할'
준비가 된 거죠.

1단계 : 철학적 '놀람'

나는
누구인가?

나는
어디로 가나?

내가 사는 이 세상은
어떻게 작동하나?

2단계 : 앎
삶에서 선한 것과 악한 것을
구분하게 해준다.

이토록 작은 꽃에
이런 완벽함이
깃들어 있다니!!

그런데 나는 매일
아무 생각 없이 꽃을
밟고 다녔다.

세상이 이 수선화처럼
순진무구하다면, 이 땅에
끔찍한 범죄도 없으련만...

오! 멋진데?
적어놓자.

하지만 위험이 우리를 둘러싸고 있다!
왜냐하면 슬프게도 우리는 편견과
환상으로 가득한 세상에서
살고 있기 때문이다.

이봐! 꽃향기에 취해서 황당한
소리나 늘어놓지 말고 어서 와!
스파르타와 전쟁이 시작됐다고!

아, 그래?
전쟁은 왜?

그 덩치만 큰 무뇌충들이
아테네 경제를 위협하고
있단 말이야!

있는 거라곤
근육뿐이지!

잠깐! 너희가 상황을 너무
단순화하는 것 같은데?

우리 체육 선생님은 스파르타
출신인데 인간성 짱이거든!
『일리아드』도 줄줄 외우셔!

뭐, 어쨌든
사람들이 모두
우리처럼
생각한다고!

17

자기 힘으로 사고하려면 사태를 있는 그대로 바라보는 법을 배워야 한다. 그럴 때 철학자가 도울 수 있다.

이제 분명히 보여. 너희는 날 조종하려고 하지만, 나는 나 스스로 모든 걸 생각할 거야!

흥... 재수 없어!

이것이 소크라테스 선생이 들려주신 얘깁니다. 물론 싫어하는 사람이 많았죠!

허허허허!

이제 원칙은 아셨을 테니 이 문제를 조금 더 깊이 살펴보기로 할까요?

여러분을 도와줄 아주 귀중한 도식이 하나 있어요.

흠... 어디 뒀더라?

뒤적 뒤적

플라톤 선생님, 그러니까 결국 똑똑해져야야 행복해질 수 있다는 말씀인가요?

네... 뭐, 그렇죠. 왜요? 실망했나요?

아... 실망보다는 저희가 기대했던 거와 많이 달라서 좀 당황했달까요? 저흰 '샤크라' 같은 거, 자기계발 쪽이나 행복학 같은 걸 기대했거든요.

하지만 제대로 사고하는 법을 배우면 여러분 자신에게 유익합니다. 제가 우리 학생들에게 늘 하는 얘기죠.

첫 번째 장에서는 철학의 기초, 즉 세계에 대한 우리의 이해가 불완전하다는 점을 배웁니다.

이것만 해도 대단한 과제죠. 소크라테스 선생은 이 문제에 평생을 바치셨습니다.

2,500년 뒤에 유행할 이 스위스 칼을 좀 볼까? 칼, 이쑤시개, 포도주 병따개, 족집게 등 그야말로 없는 게 없다.

이 책도 마찬가지다. 각 장을 하나의 도구로 간주하고, 여러분이 어떤 사고를 할 때 가장 적합한 장을 골라 읽으면 된다.

여기서 두 분께 '지식의 산' 카드를 드리죠.

맨 밑에서 출발해서 지식의 3단계를 거치며 위로 올라가야 합니다.

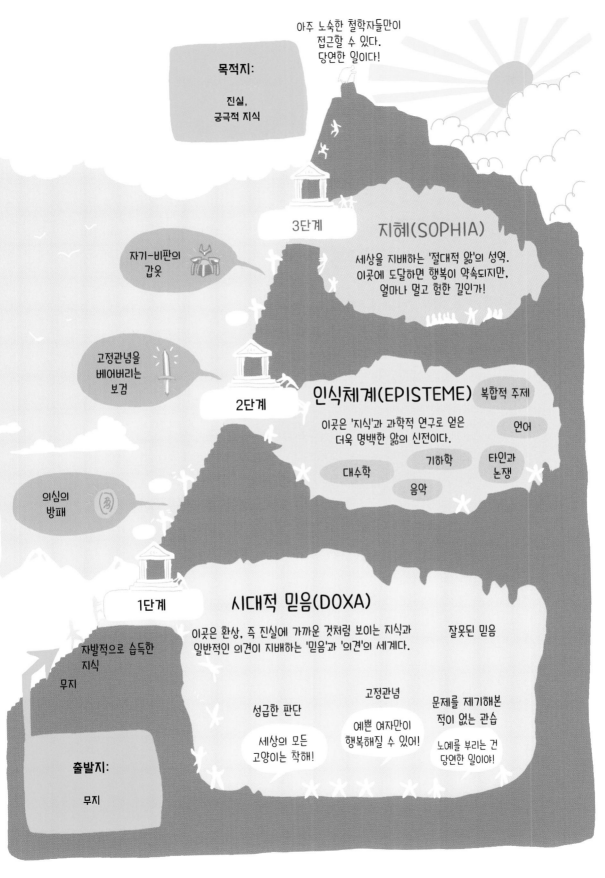

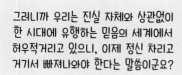

그러니까 우리는 진실 자체와 상관없이 한 시대에 유행하는 믿음의 세계에서 허우적거리고 있으니, 이제 정신 차리고 거기서 빠져나와야 한다는 말씀이군요?

철학은 자신이 직접 생각하지 않은 의견, 고정관념을 의심합니다.

파라(para)-독스(doxa)란 '지배적 의견에 대한 반대'를 뜻합니다.

비판적 사고를 반영해 흔히 여론이나 속설을 거스르곤 합니다.

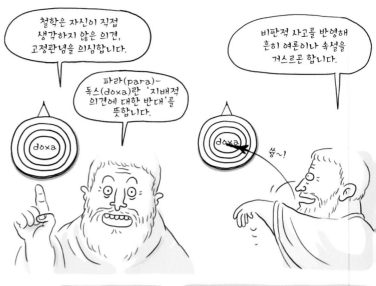

쑹~!

바로 그겁니다! 교육받지 않으면 무지한 상태로 떠도는 속설을 진실로 믿게 되죠.

겉모습에 속지 말고 그 너머를 봐야 합니다.

소크라테스 선생은 무지와의 전쟁을 선포하셨죠.

안녕하시오, 소크라테스!

안녕하시오, 히피아스 선생!

거기서 뭘 하고 계시나?

여기 물 웅덩이에 반사된 햇빛을 내려다보는 중이오.

언젠가 위대한 진실을 발견할 때 눈이 멀지 않도록 훈련하는 중일세.

무슨 헛소리야?

자네, 에페보스*에 관한 내 강연회에 오지 않겠나? 내 강연이 너무도 아름답고 유익하다며 표를 팔기가 무섭게 매진이라네!

아, 이거 참 아쉽구만! 난 빵을 사려 지금 곧 시장에 가야 한다네.

자네는 대학자니까 무식한 내게 한 수 가르쳐줄 수 있겠나?

우헤헤.. 부끄럽구만! 뭐가 알고 싶은가?

자네 강연이 아름답다고 했는데 아름다움의 정의가 무엇인지 말해주게.

오, 그거라면 어렵지 않은 부탁이군, 소크라테스!

* ἔφηβος: 18세에 입대해 20세까지 군사 훈련을 받는 아테네 청년. 이 과정을 마쳐야 투표권이 있는 아테네 시민이 될 수 있었다.

잘 듣게! 아름다움이란 비너스처럼 순결하고, 부드럽고, 매력적인 것을 말하지. 아름답고 젊은 여인처럼 말이야!

브라보! 역시 우리 스승님이셔! 멋진 말씀이었어요!

일동 박수! 짝짝짝!

알겠네! 그럼, 냄비는 어떤가? 냄비도 아름답다고 말할 수 있겠나?

예를 들어 이런 냄비...

오 마이 갓! 그토록 고결한 개념에 이토록 천박한 예라니!

그래! 냄비도 아름다울 수 있다네, 소크라테스!

하지만 세상에서 가장 아름다운 냄비도 아름다운 처녀보다는 추할 수밖에 없지!

우아아아! 멋진 말이다! 언어의 마술사, 천재야!

그럼, 세상에서 가장 아름다운 처녀도 결국 신과 비교하면 추할 수밖에 없다는 말인가?

당연하지, 소크라테스!

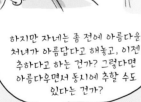

하지만 자네는 좀 전에 아름다운 처녀가 아름답다고 해놓고, 이젠 추하다고 하는 건가? 그렇다면 아름다우면서 동시에 추할 수도 있다는 건가?

으으...

웅성웅성   수군수군

기다려, 히피아스! 자네는 아직 아름다움이 뭔지 말해주지 않았어!

나중에 말해주지, 소크라테스! 나도 지금 시장에 가야 하거든!

하하! 멋진 일화죠. 가짜 진리에 대한 진짜 비판입니다.

이 일화를 학생들에게 들려주려고 냄비도 연구실에 보관하고 있죠.

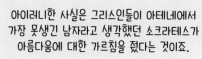

아이러니한 사실은 그리스인들이 아테네에서 가장 못생긴 남자라고 생각했던 소크라테스가 아름다움에 대한 가르침을 줬다는 것이죠.

네! 소크라스라는 인물 자체가 패러독스였죠. 외면은 그토록 추했으나 내면은 그토록 아름다웠으니까요.

그래서 성찰이 필요합니다. 누가 아름다움, 선, 용기, 정의가 무엇인지 진정으로 정의할 수 있겠습니까?

그런데 우리는 모두 이런 개념을 알고 있다고 믿고, 우리 사회도 이런 개념 위에 서 있습니다.

수백 가지 정의를 내릴 수 있겠지만, 어느 것도 완벽하다고 말할 순 없죠.

진리에 도달하는 방법은 끝없이 그것을 추구하는 것뿐입니다.

히피아스처럼 우리도 그 지식이라는 것에 눈이 멀었을 때 소크라테스는 따끔하게 경각심을 불러일으킵니다.

소크라스는 공개적으로 날 모욕했어!

그자는 나도 모욕했다네. 쇠파리 같은 인간!

우리는 스스로 생각한다고 믿지만, 사실 우리 생각은 이미 '중단'된 상태고, 각자 자기 나름대로 세상을 '해석'합니다.

STOP

그래, 이제 됐어.

내 의견을 정했어.

이것이 바로 우리가 '자기 의견이 있다'고 말하는 현상입니다.

그렇게 세상 모든 주제에 대해 우리는 자기 의견이 있습니다.

따라오세요. 정원에서 대화를 계속합시다!

바깥 날씨가 참 좋아요!

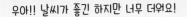

우아!! 날씨가 좋긴 하지만 너무 더워요!

자, 여기 시원한 분수 옆에 앉아서 대화할까요?

이 세상에는 왜 그토록 많은 의견이 있는지 아십니까?

왜냐면 의견을 말하기는 너무도 쉽기 때문입니다. 노력이 별로 필요하지 않아요.

두 분도 조금 전에 의견을 말하셨죠. '이곳이 너무 덥다'고 하셨습니다.

치치치...

그런데 각기 다른 여러 의견이 서로 대립한다면 어떤 일이 벌어질까요?

올해 아테네를 찾는 관광객이 아주 많습니다!

와! 아테네는 세계적인 도시가 됐어요!

환영합니다!

아, 이런 젠장! 냉방장치가 없나요? 여긴 너무 더워요!

난 오히려 추운데? 여기 난방장치가 작동하지 않나요?

아... 두 분이 합의로 보세요.

난 북쪽에서 왔습니다. 더워 죽겠어요.

난 이집트에서 왔습니다. 얼어 죽겠어요.

이럴 때 과연 누구 말이 맞을까?

각자 자신만의 작은 진실을 내세우며 몇 시간이고 쉼 없이 다툴 수 있다.

그러다가 가장 강력한 의견이 나와 이런저런 논쟁을 평정하곤 한다.

내 말이 맞아!!

아냐! 내 말이 옳아!

아테네의 온도는 똑같다. 단지 그 온도에 대한 각자의 '주관적 의견'이 다를 뿐이다.

람세스 씨. 춥다고만 하지 말고 머리에 뒤집어쓰신 것을 풀어서 몸을 감싸면 덜 추우실 텐데요.

이봐요! 당신네 여행 안내서 뒤쪽에 "아테네, 아폴론 신전, 태양이 작열하는 뜨거운 바닷가"라고 써 있잖소. 정말 실망입니다!

진실은 아테네인들이 거짓말쟁이라는 거라고! 당신들은 사기당한 거야.

그리고 그것은 지배적 의견이 돼서 사람들 사이에 불길처럼 퍼져나간다.

맞아! 저 사람 말이 맞아!

이런 사기극에 휘말리다니! 허위 광고에 속았어!

속지 마세요! 저자는 아테네와 전쟁 중인 스파르타 사람입니다.

그리고 그 지배적 의견은 소문이 돼서 지중해 연안 전역에 샅샅이 퍼진다.

지난 달에 내 동생과 같은 층에 사는 이웃이 아테네에 갔는데...

엉망이었나 봐! 추웠다 더웠다 해서 감기에 걸렸는데 환불도 안 해줬대.

나중에는 문제가 무엇인지조차 모르게 된다!

그래서 뭐야? 자기 의견도 마음대로 말할 수 없다는 거야?

재미있는 화제가 없으면 아예 입을 다물어야 하는 건 아니잖아?

보셨죠? 사람들은 자기 의견이 자기 생각에서 나왔다고 믿죠. 자기가 스스로 생각했다고!

하지만 스스로 생각했다는 건 대부분 남들처럼 생각했다는 의미입니다. 남들과 똑같이!

그러다 보면 위험해집니다. 남들이 '나 대신' 생각하게 된다는 거예요.

아! 듣고 보니 너무 우울한 얘기입니다. 남들의 생각을 내 생각으로 착각하다니!

게다가 그리스 시대만이 아니라 우리 시대에도 사정은 마찬가지예요.

아! 기운을 내세요! 실수를 깨닫는다는 건 이미 앎에 대한 지식을 향한 첫걸음이니까요.

탁 탁!

서로 대립하는 두 의견은 뭔가 새로운 것, 사람들이 달라지게 할 새로운 것을 만들어낼 수 있습니다.

그래서 남들과 맞설 준비가 돼 있어야 합니다. 또 서슴없이 자신을 비판할 줄도 알아야죠.

학교는 바로 그런 활동에 필요합니다.

철학자들은 연구하고 가르치면서 공공의 선을 유지합니다.

에피쿠로스

에피쿠로스

에피쿠로스주의 창시자.
사모스 섬 출생(BC 341-BC 270)

주요 작품 :
헤로도토스에게 보낸 편지
피토클레스에게 보낸 편지
메노이케우스에게 보낸 편지
격언집

에피쿠로스의
행복 프로그램

작은 것에도 만족하지 못하는 인간은
아무것도 만족하지 못한다.

활동 지역

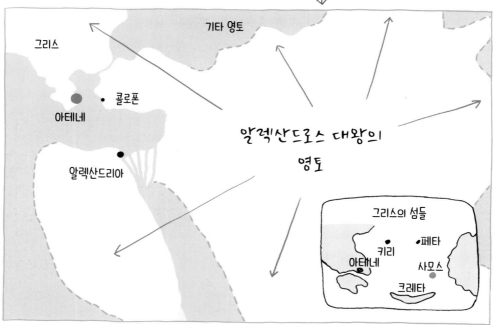

기타 영토

그리스

콜로폰

아테네

알렉산드리아

알렉산드로스 대왕의
영토

그리스의 섬들

페타

키리

아테네

사모스

크레타

때는 바야흐로 기원전 383년.
그리스는 얼마 전부터 좋은 시절을 지내고 있었습니다.

♪룰루랄라♬

그러나 알렉산드로스 대왕이
젊은 나이에 세상을 뜨면서
그의 위대한 시대도 끝났죠.

헉 헉...

나라는 삐걱거리기 시작했고
혼돈 속으로 빠졌습니다.

아, 우린
망했다!

젊은 나이에!

그 미모에!

그것은 또한 집단에 속해 살아가는 사람들에게
행복을 보장해주던 견고한 사회 체계의 종말을
의미하기도 했습니다.

드디어 철학자들이 반응했습니다.

쾅!
쿵쾅!

ororororok!

집단적 구원은
이제 끝이오!

이제 개인을 사고의
중심에 둬야 합니다!

탕!

32

에피쿠로스는 조금 반항적인 기질이 있는
젊은 철학자였습니다.

아빠, 엄마!
우리 사회는
너무 썩었어요.

에피쿠로스는 군대 생활을 마치고 나서
매우 훌륭한 교사들에게 배웠습니다.

살아 있는 모든 존재는
눈에 보이지 않는 원자로
구성돼 있다는 겁니다!

우아아!

저명한
철학자
나우시파네스

생물이 죽으면 사체가 썩어 분해되고
원자는 자연으로 돌아갑니다. 그리고 다시
새로운 형태의 생명체로 재구성되죠.

와우, 아주 센데?
형이상학적 따귀를
얻어맞은 기분이랄까!

아하! 호오... ㅇㅇ 흠음... 캬아!

하지만 그는 이런 엘리트 그룹 분위기에 잘 어울리지 못했습니다.

에피쿠로스라는
저 애송이, 너무
나대는군.

이 동네 분위기는
너무 구려서 짜증나!
내가 공동체를 하나
직접 만들어야겠어.

제발 가라!

난 간다!

기원전 306년, 그는 아테네에서
정원을 하나 샀습니다.

탕! 탕! 탕!

환영합니다

팝니다

철학하고 싶은 분은 누구든
남자, 여자, 노예, 심지어
매춘부도 환영합니다!

우리 모두 함께
행복의 정의를
내려봅시다.

에피쿠로스의 원칙

원칙 2

따라서 행복은 우리가
이 땅에서 살아가는 동안에만
정의될 수 있습니다.

여기, 지금!

그러니 미래에 기대를 걸지도 말고
과거에 집착하지도 말고 오로지
지금 이 순간을 만끽해야 한다.

시인 호라티우스(BC 65–BC 8)는
후일 이 원칙을 '카르페 디엠',
곧 '오늘을 만끽하라'라는 유명한
말로 번역해 지금까지
전해집니다.

자, 보세요.
이 녀석은 이 가르침을
다 이해했군요.

여기,
이 시간을
만끽합니다.

하지만
조심하세요!

원칙 3

내가 말하는 즐거움은
이상적인 즐거움,
우리를 진실로 행복하게
해주는 즐거움입니다.

'자연적이고'
'필수적인' 즐거움.

두목, 근데 '자연적이고 필수적'
이라는 게 대체 어떤 건가요?

날 '두목'이라고 부르지 말게!
여긴 모두가 동등한 곳이니까!

정원은 모두가
깊은 우정으로,
아주 깊은 우정으로
맺어진 곳이라네!

그럼,
'아버지'는 어때요?
'정신적 아버지'!

오, 제발!
꼰대 같아서
싫다니까!

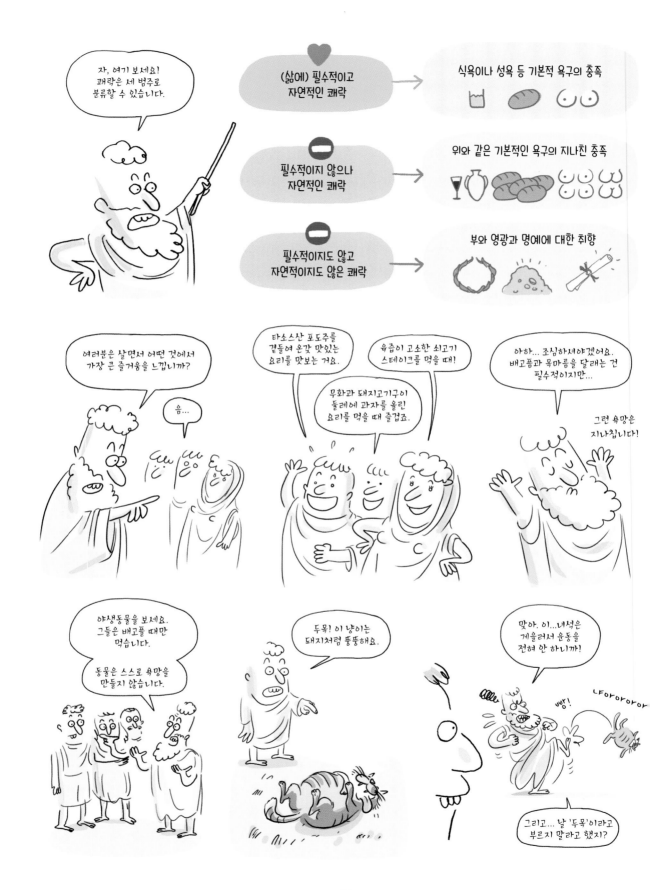

에피쿠로스의 영향

에피쿠로스는 당시에 엄청난 성공을 거뒀습니다.
생전에 그의 정원 앞에는 수십 명의 지원자가 줄을 섰죠.

플라톤이나 아리스토텔레스 같은 유명한 철학자들은
모두 부유한 집안 자식들만을 가르쳤습니다.

에피쿠로스에 대한 이 잘못된 평판은 오래도록 그를 따라다녔습니다.
그래서 지금도 '에피쿠로스주의'라고 하면 '쾌락 추구' '빈둥거리기'
'미식' '탐식', 심지어 '섹스, 마약, 로큰롤'과 상통하는
개념으로 오해합니다.

심지어 먹기를 좋아하는 많은 사람이
'에피쿠로스파'를 자처하기도 합니다...

하지만 실상은 정반대였습니다.
에피쿠로스는 소박한 음식에 만족하는 단순한 삶을
추구했으니 세속적인 쾌락과는 거리가 멀었죠.

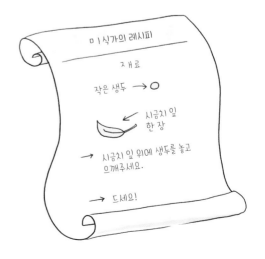

웅성 웅성 웅성...

여러분! 스승님이 욕조에서 영웅적으로 운명하셨습니다.

비록 비판이 무성했지만, 그의 제자, 친구, 애인 들이 그의 작품과 가르침과 업적을 그리스 전역에 전했습니다.

불쌍한 분! 신장결석 때문에 돌아가셨대.

그래도 스승님 조각상을 거의 마쳐서 다행이야.

오, 잘 가요, 친구여! 행복의 미학자, 우리 밤의 디오니소스, 우리 가슴의 아폴론이여!

정말 아름다운 시였어요!

고맙소.

흑쩍

흑쩍

짝!짝!짝!

자! 우리 모두 기운 내자!

술독을 열어라! 부어라, 마셔라! 이 밤이 새도록!

오, 예 에 에 에!

우하하하하! 헤헤 호호...

쉿! 다들 조용히 해. 저기 조각상이 우리 내려다보고 있어!

콸콸콸콸!

40

에피쿠로스

일상생활에 적용하는 에피쿠로스의 행복 철학

출연 : 같은 층
이웃 마르틴

1 카르페 디엠!
행복은 지금이 아니면 영원히 없는 거라구, 마르틴!

카르페 뭐라?

2 지상의 삶에서 느끼는 즐거움이
우리를 행복하게 해준다.

내 인생의 작은 즐거움은 청소와 위생이야!

깨끗한 계단을 보면 얼마나 기쁜지!

3 그렇게 느끼는 즐거움의 성격은 사람마다 다르다.

쓱쓱 싹싹

깨끗하게... 아주 깨끗하게.

구석구석 반들반들!

4 하지만 조심해, 마르틴! 너무 집착하면 중독된다구.

반짝반짝 빛나게 할 거야. 아무도 내 사랑 계단을 더럽힐 수 없어!

빡빡 빡빡

5 삶에서 조화로운 균형을 유지하려면
즐거움도 정도껏 누리고 다양화할 줄 알아야 한다.

진정해요, 마르틴! 우리 산책하러 가요.

삶에는 다른 즐거움도 많아요.

나하고 함께 쇼핑하러 갑시다.

6 즐거움을 스스로 제어할 수 있을 때
가장 행복한 상태, 아타락시아에 도달할 수 있다.

BRICOLEX

세일 행사 특별 할인

오예! 너무 좋아! 다섯 개 살 거야!

아효... 마르틴! 무슨 말인지 전혀 이해하지 못했군.
이 장의 첫 페이지로 돌아가 처음부터 다시 시작해봐!

세네카

로마 시민. 은행가·정치가·철학자.
스페인 코르도바 출생(BC 4-AD 65)

주요 작품 :
루실리우스에게 보낸 편지
행복한 인생에 관하여
짧은 인생에 관하여

세네카의
행복 프로그램

삶에서 만나는 여러 위험에 대처하려면,
우리 힘으로 어떻게 해볼 수 없는 것들을
의도적으로 용감하게 받아들여야 한다.
스토아 철학자들에게 이처럼 자기 삶을
통제하는 힘은 행복을 향한 지름길이었다.

활동 지역

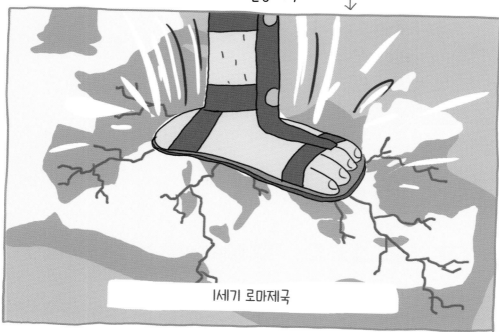

1세기 로마제국

서기 1세기 온갖 계략과 열정의 무대였던 로마는 영광의 정점에 있었습니다.
시민은 한편에 황제의 궁을 드나들며 사치하고 무절제한 삶을 살아가던 부유한 엘리트 귀족과
다른 한편에 일반 서민, 가난한 사람, 노예로 구분돼 있었습니다.

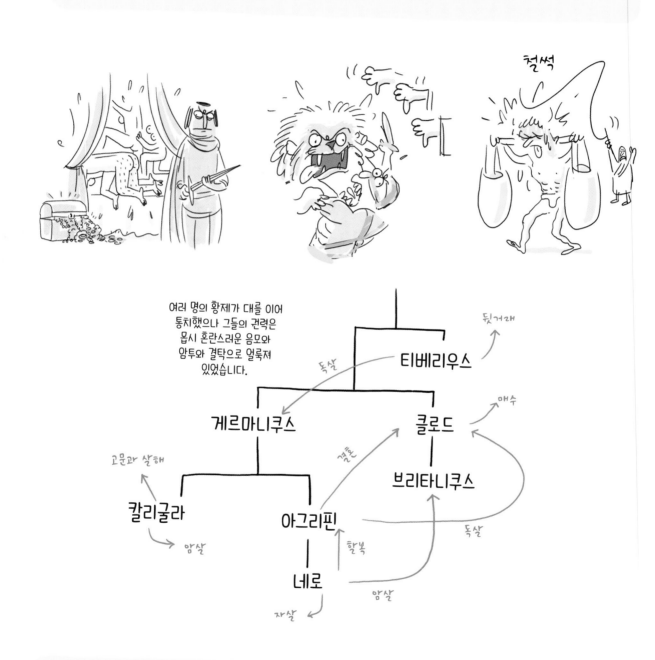

여러 명의 황제가 대를 이어
통치했으나 그들의 권력은
몹시 혼란스러운 음모와
암투와 결탁으로 얼룩져
있었습니다.

철썩

뒷거래

티베리우스

독살

게르마니쿠스

클로드

매수

브리타니쿠스

고문과 살해

결혼

칼리굴라

아그리핀

독살

암살

항복

네로

암살

자살

아무리 가진 것이 많은 부자라고 해도 하루아침에 모든 것이 무너져버릴 수 있는
이런 불안한 상황에서 어떻게 행복할 수 있을까요?

46

실제로 세네카는 대단한 갑부였습니다.

골목마다 치명적인 위험이 도사린 이런 판국에 어떻게 해야 행복할 수 있을까?

해답은 간단해. 이 난국에서 벗어날 길은 오직 스토아 철학뿐이야.

스토아 철학적 태도란 무엇보다 절제되고 모범적이며 고결한 삶의 방식을 말한다네.

쩝쩝

냠냠 꿀꺽

그리고 무엇보다도 지나침 없는 적당함을 지향해야 해.

어린 네로 황제의 가정교사이기도 했던 세네카는 로마의 공인이며 정치가였고, 황제와 매우 가까운 사이였습니다.

우리 왕자님, 내가 그렇게 가르쳤습니까? 자, 장군 받으시오!

그리고 제발 그 손톱 좀 그만 물어뜯어요.

하지만 그의 빛나는 영광과 엄청난 재산, 그리고 정치적 권모술수가 그에게 오히려 부정적으로 작용하기 시작했습니다.

세네카! 세네카!

잘난 척은! 재수없어!

하지만 아직 불행이 닥치지 않았고 그는 여전히 대단한 부자였으니 철학에 몰두할 시간이 있었습니다.

두루말이!

착!

안녕하신가, 위대한 세네카여!

아, 루시우스 피쿠스 아로수스! 내 친구여, 그간 잘 지냈나? 자네를 만나니 무척 기쁘군.

고결한 세네카여, 나는 오늘 그대 등 뒤에서 새로운 음모가 꾸며지고 있음을 알려주러 왔네.

요즘 집정관의 아내 줄리아 페스타 페르피디아가 자넬 험담하고 다닌다네. 자네가 네로 황제 사촌의 사위 이웃집 조카딸 가슴을 몰래 주물렀다는 소문일세. 그런데 바로 그 아이는 다음 주에 황제와 결혼하기로 돼 있다는 걸세! 알겠나?

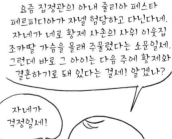

자네가 걱정일세!

흥! 그들이 날 해치려고 발악을 하는 모양인데, 어림도 없는 수작일세.

난 스토아주의자야. 그 정도엔 끄떡없네.

스토아주의는 내 인생 철학이야. 이 철학은 인생의 모든 역경, 예를 들어 질병, 상실, 몰락, 고통, 심지어 죽음에도 맞설 수 있게 해준다네.

물론 거기엔 약간의 훈련이 필요하지, 루시우스 군. 하지만 부자든 빈자든, 강자든 약자든, 누구나 이렇게 강해질 수 있어.

원칙 1

내가 감당할 수 없는 것, 사고, 불운, 패망, 질병, 음모 등 내가 바꿀 수 없는 것에 맞서 싸워서는 안 된다. 받아들여야 한다.

**열정의
결실**

반면에 내가 행동해서 바꿀 수 있는 것, 예를 들어 인간의 열정 같은 것에 대해 행동해야 한다.

다양한 열정은 모두 우리를 지배하고 우리 의지를 대체하는 생생한 감정이며 정확하게 판단하는 우리 능력을 약화한다.

예를 들어

성욕	슬픔
재물욕	동정
죽음에 대한 공포	복수심

원칙 2

어떤 상황에서든 자신의 열정을 통제하고 배제하는 법을 배워야 한다. 왜냐면 그것은 썩은 과일 같은 것이기 때문이다!

난 고통과 충동, 감정을 통제하니 훨씬 덜 고통받는다네. 예를 들어 긴 투병 생활도, 사랑하는 친구의 죽음도, 몹시 고통스러운 실패도 이겨낼 수 있어. 심지어 죽음도 의연하게 맞이할 수 있다네.

난 지혜와 평정을 지향하지.

오, 위대한 세네카! 어떻게 그런 경지에 도달했나?

간단하지! 내 안에서 격렬한 감정이 치밀어 오르는 걸 느낄 때마다 곧바로 그걸 막는 데 집중해서 사라지게 한다네.

보게나!
조각가에게 부탁해서
내가 제압한 모든 열정을
저 조각상에 담아달라고 했지.

죽음에 대한 공포

분노

동정

성욕

하지만,
위대한 세네카!
저 조각상들은 모두
똑같지 않은가?

예를 들어 오늘 아침 길에서
끔찍한 천식 발작이 일어나서
거의 죽을 뻔했어.

죽음에 대한 공포

그때 나는 온 정신을 집중했지.
원형경기장에서 싸우다 죽는
검투사들의 운명을 생각하면서
내게 있는 힘을 다해 두려움을
흩어버렸지!

혁
혁

아니, 전혀 그렇지 않네!
친애하는 루시우스! 잘 보게!
저 무표정한 얼굴 뒤에 내가 매번 치렀던
끔찍한 내면적 싸움 하나하나의 흔적이
그대로 숨어 있다네.

그러다가 길에서 개똥을 밟자
불같이 화가 났어!

분노

난 분노를 가라앉히려고 내가 혐오하는
이웃집 여편네 안토니아 란쿠니아 집 앞에
놓인 발깔개에 개똥 묻은 신발
밑창을 박박 비벼 닦았지.

아,
이제야
스트레스가
좀 풀리네!

박박박...

그러다가 난 잠시 후에 길에서
한 노숙자를 보았네. 그는 굶어
죽어가면서 구걸하고 있었지...
아! 그 장면이 얼마나 내 가슴을
아프게 후벼 파던지!

동정

하지만 나는 곧 정신을 차렸지!
강력한 동정심에 이끌려 줏대를
잃어가고 있었거든. 그래서 난
이 동정심을 통제하기 수월한
다른 감정으로 대체했다네.
그렇게 내 내면에서 동정심을
타자에 대한 연민으로 바꿨지.

"이 동전을 받게나, 친구여!
이 적선은 건전하고 고결한 태도의 결과일세.
왜냐면 나는 인류에 대한 연민에 따를 뿐
흔히 사람들이 '동정'이라고 부르는 저 번거롭고
굴욕적인 감정에 사로잡힌 것은 아닐세.
이 정신적인 적선이 자네와 나 두 사람을
존엄의 저 빛나는 하늘로 데려다주기를
부디 기원해보세나."

오, 나의 이 행위는
얼마나 아름답고
더없이 고결한가!

난
천재야!

등신!

위대한 세네카여!
자네 말은 잘 알겠네.
하지만 우리가 감정에
휩쓸리지 않기는 정말
어렵지 않은가?

난 얼마 전 내 아내 세르빌리아와
함께 기르던 우리 귀여운 반려견,
페티쿠스를 잃어버렸다네...

3년 전 서커스를
관람하러 갔을 때...

눈빛이 다정하고
털이 곱슬곱슬한
강아지 못 보셨소?

못 봤소! 여긴
코끼리뿐이오.

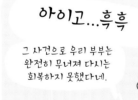

아이고...흑흑

그 사건으로 우리 부부는
완전히 무너져 다시는
회복하지 못했다네.

너무 걱정하지 말게!
진정으로 사랑했던 존재를
상실했을 때는 한동안 슬픔에
몸을 맡겨도 괜찮으니까.
그 정도야 물론 허락되지!

그런 태도가
미덕의 길에서
벗어나게 하지만
않는다면 말일세.

내가 자네를 도와줄
좋은 방법을 알려줌세.

자,
이 도표를 보게.

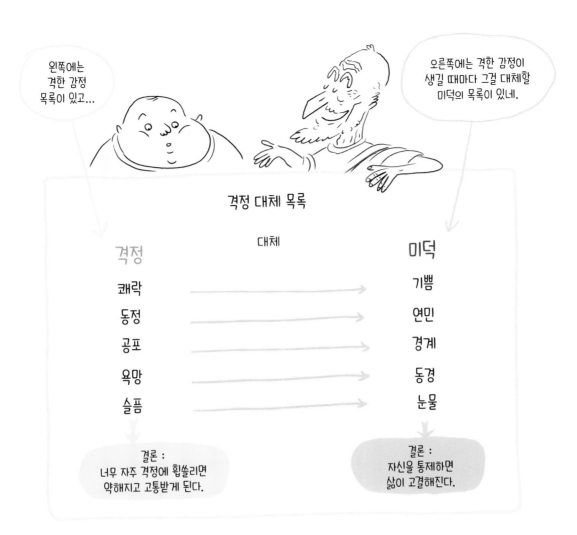

왼쪽에는 격한 감정 목록이 있고...

오른쪽에는 격한 감정이 생길 때마다 그걸 대체할 미덕의 목록이 있네.

격정 대체 목록

대체

격정		미덕
쾌락	→	기쁨
동정	→	연민
공포	→	경계
욕망	→	동경
슬픔	→	눈물

결론 :
너무 자주 격정에 휩쓸리면
약해지고 고통받게 된다.

결론 :
자신을 통제하면
삶이 고결해진다.

알겠나? 약간의 훈련을 통해 자네는 격정을 최대한 배제할 수 있어. 두려움 없이 죽음을 기다리고, 운명을 직면할 수 있다고. 왜냐면 자네는 그렇게 고결한 인간이 됐으니까.

우르릉 쾅!

언제나 어디서나 자네는 어떤 난관이 닥쳐도 꿈쩍도 하지 않는 바위 같은 인간이 된다네.

엄마, 저기 털 빠진 새처럼 생긴 할아버지는 뭐하시는 거야?

설령 그것이 확연히 보이지 않는다고 해도 자네는 더없이 행복한 걸세. 성공한 거야!

저런 버릇 없는 놈!

**돈은
멋진 것!**

원칙 3

부유한 편이 낫다!
그 이유는 다음과 같다.

I. 자신에게 시간을 충분히 할애하는 것이 좋다!

2. 따라서 오티움(OTIUM), 즉 유용한 여유 시간을 보낼 수 있다. 학구적인 여가, 휴식, 명상... 자신을 계발하기에 유용한 시간이다.

3. 여유 시간을 활용해야 한다. 스스로 자신을 격정에 맞서야 할 상황에 되도록 자주 놓이게 하고...
그런 상황을 통제하는 능력을 길러야 한다. 그것은 너무도 힘든 시련이지만, 극복하고 나면 얼마나 통쾌한지 모른다.

단순한 삶

펠릭스를 소개하지. 과거에 노예였으나 내가 해방해줬어. 지금은 아주 작은 주막을 운영하고 있다네.

아, 주인님!

부유하신 분들이 제 누추한 가게에 오셔서 그 스토리 철학... 아니 스토킹 철학... 아니... 어쨌든 거시기 철학을 하시곤 합니다요.

난 정기적으로 그의 가게에 와서 가난을 체험하곤 한다네. 그러면 얼마나 기분이 좋은지!

그분들 덕분에 수입도 짭짤하고 구경하는 재미도 만만찮죠!

아, 단골 고객이 오셨네.

잘 있었나, 펠릭스! 오늘 메뉴는 뭔가?

안토니아 란쿠니아와 그녀의 남편 원로원 의원 나리군! 당신도 이제 철이 좀 들었나? 앞으로 고결한 인간이 되기로 작정한 거야?

이 못된 할망구야!

실컷 비웃어, 이 수컷 구실도 못 하는 늙은 염소 같은 인간아! 누가 이기나 두고 보자! 네가 우리 집 대문 앞 흙덩개에 개똥 비벼놓은 못된 짓을 후회하게 될 거다!

아, 이런... 채소 껍질만 남았어요.

자, 이제 갑니다. 펠릭스! 또 봐요! 쓰레기통 옆 땅바닥에서 자며 지낸 열흘간 가난 체험은 정말 낯설고 유익했어요. 진짜 고마워요!

더러운 속옷으로 만드는 패치워크 공방 체험도 너무너무 재밌었어요!

펠릭스! 자네는 너무도 가난한데, 어쩌면 그리도 편안해 보일 수 있나? 그 비결이 대체 뭔가?

아! 제가 지금은 너무 바빠서 대답할 시간이 없습니다요!

54

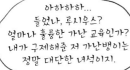

아하하하...
들었나, 루시우스?
얼마나 훌륭한 가난 교육인가?
내가 구제해준 저 가난뱅이는
정말 대단한 녀석이지.

저 녀석은 자신의 비참한 처지를 받아들이지.
그런 처지에서 겪게 되는 불평등에 흥분하고
분노하기보다 자기 처지를 개선하려고 노력하는 데
시간을 보내는 편이 낫다고 생각하는 걸세.

오로지 부자가 되고 싶어서
거기에도 모든 걸 걸지 않는다네.
부자가 되면 다행이고, 안 돼도
그만이라고 생각하는 걸세.

결론 :

지금 자신의 처지에서도 얼마든지
지혜롭고 고결하게 살 수 있다.

가난하다면 자신의 처지에서 비롯한
걱정과 고통에 굴복해 소중한 시간을
허비하지 않는다.

이만하면 이미 좋은 시작이 아닐지!

맞아.
부자인 게
좋아!

누군가 나한테 그런 제안을
한다면 그러겠다고 하겠어!
왜냐면 덕을 쌓기 위한 시간도
더 많이 생길 테니까!

자, 루시우스,
이제 실행에
옮겨보게.

난 이제 황제를
알현하러 가겠네.
요즘 맞바람이 느껴져!

하하하... 루시우스 씨!
일주일간 닭똥만 드시면서
버티실 준비가 되셨습니까?

그리고 올 것이 오고야 말았으니...

네로! 세네카가
정말 말썽예요!

돈자랑, 역모에
황제를 조롱한다네요.

세네카에 대한 음모가 꾸며졌습니다.

황제는 그에게 자살하라는
명령을 내렸습니다.

왜 그런지 궁금한가?
왜냐면 난 고통과 죽음에 맞서
나 자신을 통제하는 훈련에
평생을 바쳤기 때문이야!!

자, 그 노력의
결과를 보라!

세네카, 당신은 황제에 대한 위협이오.
로마 시민은 당신을 사형에 처하오!

음탕한 놈!

부자들을
처벌하자!

이 늙은 여우!
이젠 그 입을 영원히
다물게 해주마!!

난 혈관을 베어 자결하지만
당신들은 내가 고통 속에서
죽어가는 모습을 보는 기쁨을
누릴 순 없을 거야.

내 도덕성의 결과를
너희에게 흩뿌리니
맘껏 즐겨라! 으하하!

콸콸

이처럼 세네카는 그가 평소 원했던 대로,
고결하게 세상을 떠났습니다.

젠장! 죽으면서
괴로워하지도
않았어!

시간만
낭비했다.
돌아가자!

조각가! 서두르시오.
몇 초 후면 '죽음을 이겨낸
전례 없는 승리'를 담은 표정이
내 얼굴을 가득 채울 거요.

세네카는 죽었으나
스토아 철학은 오랫동안
후세를 매료했다.

세네카

일상생활에 적용하는 세네카의 행복 철학

출연 : 사무실 동료
장 피에르

1 진정한 스토아 철학의 추종자가 되려면 인간의 조건뿐 아니라 삶에서 갑자기 닥치는 불행도 담담하게 받아들일 줄 알아야 한다.

2 세상은 냉혹하다. 내가 감당할 수 없는 것에 대항해 싸우는 것은 쓸데없는 일이다.

3 그러려면 의지를 꺾어버리는 나약한 인간의 격정을 제어할 수 있어야 한다.

4 문제를 직면하고, 되도록 격정을 지배하는 것이 행복하게, 잘 사는 비결이다.

5 목표 : 큰 바위처럼 꿈쩍하지 않는 인간이 되자.

6

브라보 장 피에르! 인생은 때로 개떡같죠.
하지만 당신은 세상에서 가장 귀중한 걸 얻었어요.
당신은 이 세상 개떡같은 모든 걸 이미 초월했어요.
실직자가 됐어도 당신은 절대 루저가 아니에요.
전혀 새로운 인생이 당신을 기다리고 있으니까요.

몽테뉴

법관, 외교관, 보르도 시장, 인문주의 작가·철학자.
1533년 생 미셸 드 몽테뉴 출생(도르도뉴)
1592년 사망

주요 작품 :
내 삶과 내가 만난 사람들,
내가 살던 시대와 다른 모든 것에
대한 20년간의 성찰이 담긴
800쪽의 글 모음집

수상록

1572-1592

몽테뉴의
행복 프로그램

당대의 인물이었던 몽테뉴는
무엇보다도 자기 삶을 경험의 원천으로 삼아
행복을 추구했던 인본주의자였다.

활동 지역

16세기 종교 전쟁 시기의 프랑스

구교

신교

분쟁

죽여라!
아악

천박한 놈들!

무신론자!

멍청한 놈들!

보르도
생 미셸 드
몽테뉴

행복이 휴머니즘이라면?
이 세상에서 남과 함께 사는 방법이라면?

달리세!

세상이 우리를
기다리지 않는가!

16세기 프랑스는 서로 살벌하게 대립하는 두 집단으로 나뉘어 있었습니다.

가톨릭교도(구교도) 위그노(신교도)

입고 있는 옷만 봐도
쉽게 구분할 수
있었죠.

여기저기
주름 장식 깃과
레이스가 달린 옷

정말 재미 없는 옷

이런 절체절명의 상황에서 왕들은 두 세력을
진정시키려 했으나 성공하지 못했습니다.

못된 놈!

도둑놈!

프랑수아 2세
가톨릭

샤를 9세
가톨릭

앙리 3세
가톨릭

앙리 4세
~~신교~~

개종!!!

당시 프랑스 남서부는 가톨릭 세력과 프로테스탄트 세력이
반반씩 차지하고 있었습니다.

바로 거기서 1533년 미셸 드 몽테뉴가
태어났습니다.

응애애!!!

62

그의 아버지는 너그러운 사람이었고,
인본주의 문화에 푹 빠져 있었습니다.

아버지는 아이를 착한 농부 집에 맡겨
자라도록 했습니다.

그 덕분에 어린 미셸은
재치 있고, 모든 것에 호기심이 충만하고,
누구에게나 열린 사람으로 성장했습니다.

참전군인이었다가 외교관이 되어
유럽 전역을 누비기도 했습니다.

그의 능력을 높이 평가한 왕은
종교 갈등 해결을 도와달라고 했습니다.

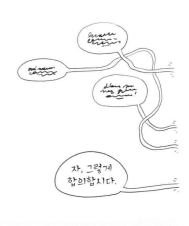

몽테뉴 선생님! 우리에게 얘기를
조금 더 들려주실 수 있겠습니까?

원칙 1

삶을 실제로 체험하라

저 탑은 제가 숨어서 조용히 일하는 저만의 공간입니다.

이곳은 제 연구실, 창의력의 산실입니다!

이건 내 펜이 가득 들어 있는 비밀 서랍이죠!

제가 몇 년 전부터 여기서 아주 특별한 프로젝트를 진행하는 중이올시다.

사람들은 제게 "미셸, 당신이 그토록 평정한 마음으로 사물을 아주 세밀하게 분석하는 비결이 대체 무엇인지 정말로 궁금합니다."라고 묻곤 합니다.

제 대답은 간단해요. 지혜의 홈메이드 레시피라고 할까요... 날마다 조금씩 개선해가는 방식이죠.

제 개인 경험에서 출발해서 새로운 경험을 할 때마다 점점 더 섬세하게 생각을 다듬죠. 보세요!

전부 여기 있어요. 700쪽이 넘습니다.

탐색하고, 탐문하고, 정보를 수집하고 비교했습죠. 제 인생에서 가장 작은 사건에서부터 결정적인 사건까지 모든 주제에 관한 성찰을 하나도 남기지 않고 기록했습니다.

뭐든 배울 수 있다면 배워야 합니다!

이것이 제가 말하는 "인간성을 실천한다."는 뜻입니다. 전 제 인생을 실험 대상으로 삼고 있죠.

분석하고 또 분석하고, 거기서 결론을 얻고, 저를 넘어 세상 모든 것의 이치를 밝히려고 하죠.

이 작업은 에세이를 쓴답시고 자기 자랑이나 늘어놓는 자기중심적인 글쓰기가 아닙니다.

사실을 말하자면 저도 여러분과 똑같이 평범한 사람이라는 겁니다... 웁쓰!

여러분을 무시하려는 게 절대 아네요.

그리고 이게 재밌는 겁니다!

제 단점과 약점과 실수와 모순 등 제 모든 걸 묘사하고 보면, 그것이 바로 인간의 본성임을 알게 됩니다.

멀리 가서 찾을 필요 없어요. 이제 보시게 되겠지만, 모든 게 여기, 우리 눈 아래 있습니다!

원칙 2

의심하라, 왜냐면 우리는 모두 불완전하기 때문이다.

이 천장을 좀 보십시오. 제가 좋아하는 교훈들을 새겨놓았죠.

이 잠언들은 비록 제가 대단한 지식인이고 영주라 해도 결국 한낱 인간일 뿐임을 잊지 않게 해주죠.

예를 들어 이런 거죠. "지나치게 현명하면, 바보가 돼버린다."

짜잔! 아주 강력한 메시지죠!

후 후!

동시대인들을 관찰하며 위대한 교훈을 얻기도 했습니다. 그들 역시 불완전했고 작은 놀라움으로 가득한 존재였습니다.

저런 저런... 제르트뤼드는 질베르와 함께 마차를 타고 대체 무슨 짓을 하는 거야?

일하지 말고 이것 좀 보세요!

언제나 한 눈을 하늘로, 또 한 눈을 땅으로 향하면, 전 어디에나 있고, 아무것도 절대 놓치지 않습니다.

아아 아 !!!

후 후!

탁!!

하지만 조심! 섣부른 결론은 금물입니다!

무엇보다도 먼저 모든 걸 의심해야 합니다.

감각은 흔히 실수로 인도합니다.
제가 분명히 봤다고 하지만
과연 제대로 봤을까요?

제르트뤼드는 바닥에
엎드려 질베르의 도움을
받으며 건초 더미에 떨어진
동전을 찾고 있었는지도
모릅니다.

다른 예를 볼까요...

제가 전에 아주
놀라운 여행을 하던 중에
이탈리아 피사를 방문한
적이 있었습니다.

탑 꼭대기에서 까마득한 아래를
내려다보니 갑자기 현기증이 났고
떨어져 박살이 날 것만 같았습니다.

우엑!!

아? 하늘에서
만두가 떨어져!

그건 그저 탑일 뿐이었습니다. 경사져
있었지만 무너질 위험은 전혀 없었죠.
그래도 전 통제력을 상실했습니다.

주인님, 바람!
어서 눈 감아요!!

으악!

세상에는 온갖 함정이 널렸습니다.
우선 우리 자신의
지각이 그렇습니다.

따라서 어떤 결론을
내릴 때 매우 신중해야
합니다.

똑똑

주인님, 안에
계세요?

왜?

왕께서 주인님께
새 임무를 맡기신다고
궁으로 오시라는 전갈이
왔습니다!

또? 알았네.
오히려 잘됐군.

자, 말을 대령하라.
우리 두뇌를 다른 사람들의 두뇌와
대결하게 할 아주 좋은 기회다!

넵, 주인님!

원칙 3

세상을 발견하러 떠나라

인간은 불완전한 존재인가요? 그렇다면 오히려 잘됐습니다! 평생 배울 기회가 있으니까요.

바로 그것이 제 시종 필리베르와 함께 시도할 준비가 된 일입니다.

네, 지혜를 위한 일이라면 언제나 준비가 돼 있습죠.

주인님, 이만하면 됐습니까? 짐을 모두 챙겼습니다.

아니, 기다리게!

으쌰!

아무리 그래도 내 수첩을 버려두고 갈 순 없지!

준비됐나, 필리베르?

옙, 주인님!

출발!

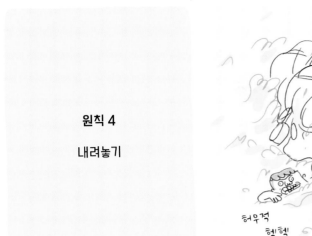

원칙 4

내려놓기

어서, 필리베르! 용기를 내게나! 내 손을 잡으라고!!

아아

허우적

헉헉   헉헉

아아아... 이런 젠장! 지난 달에는 여기가 이렇게 깊지 않았는데, 왜 이렇게 됐지?

내 잘못이야, 필리베르. 난 즉흥적으로 행동하기를 좋아하지만, 그런 반응은 때로 파국으로 끝나기도 한다네.

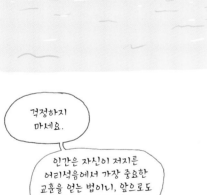

걱정하지 마세요.

인간은 자신이 저지른 어리석음에서 가장 중요한 교훈을 얻는 법이니, 앞으로도 바보짓을 더 해보려 합니다.

멋진 생각일세, 필리베르. 자네가 한 말은 하나도 틀리지 않았네.

이런 요소들과 맞닥뜨린 경험에서 우리는 뭔가를 배우게 되리라 확신하네.

이 험한 강은 마치 우리 삶을 형상화해서 보여주는 것만 같네.

이 강물이 흐르듯이 우리도 늘 변화하고 있지.

원칙 6

관용을 베풀라

신사 숙녀 여러분!
오늘의 초대 손님을 소개하겠소!
프랑스의 아름다움을 감탄하러
멀리서 찾아온 에티엔 앙드레
질다, 아마존 공작이오.

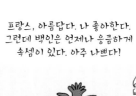

프랑스, 아름답다. 나 좋아한다.
그런데 백인은 언제나 응큼하게
속셈이 있다. 아주 나쁘다!

백인들 신대륙에 왔을 때
인디언들이 감자 선물했다.
백인들 그 보답으로 인디언들
엉덩이 발로 차고 땅 빼앗았다.

저 꼬맹이가 뭐라는 거야?
저들의 땅에는 미개발 자원이
무궁무진하지. 우리 백인이 그걸
이용하지 않을 이유가 없어!

어쨌든 저 망나니
식인종들은 서로 잡아먹길
좋아하잖아! 그러니
어차피 감자는 필요없지!

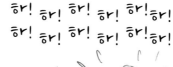

하! 하! 하! 하! 하! 하!
하! 하! 하! 하! 하! 하!

참 이상한
사람들이군!

어느새
한통속이 됐어!

새로운 인물이 나타나면 당신들은
어느새 그를 공동의 적으로 만들지.

당신들의 판단은 틀렸고,
게다가 그건 당신들에게만
이로운 엉터리 생각이야.

잘 생각해봐요!
여러분이 '야만인'이라고
비웃는 이 사람들이야말로
자기 나라에서 자연의 풍요를
만끽하며 안락하게 살고 있소.

그러니 이들은
이웃 나라를 침략해
약탈할 필요가 없소!

하지만 우리는 어떻습니까?
사실상 우리가 그들보다 훨씬
더 야만적이지 않은가요?

두 분도 역시 평범한
사람의 수준을 넘어선
악의로 상대를 대하고
있지 않습니까?

몽테뉴

일상생활에 적용하는 몽테뉴의 행복 철학

출연 : 로베르와 지슬랜

우정출연 :
티티카카 부족

1 행복지고 싶다면 인생을 모험처럼 살아라.

TOURISTAIR

로베르,
꿈만 같아!

말라카섬의
원시림 탐험
여행이야!

2 예를 들어 미지에 대한 거대한 전율을 경험하라.

호텔 방에 해수
마사지 시설 있죠?

그런 거 없슈! 이건
티티카카 부족과 똑같이
살아보는 체험 여행입죠.

야생동물 똥을 말려 만든
매트에서 주무셔야 합니다.

3 새로운 만남의 기쁨을 발견하고,

아악!사람 살려!
식인종들이야!

해골은 장식품예요.
인생이 짧으니 헛되이 보내지
말라는 뜻을 담고 있어요.

4 남에게서 배울 뿐, 자기 기준으로 그를 판단하지 마라.

세상에! 엉덩이에
깃털을 꽂고 다니다니,
저런 야만인이 있나!

저 풍습은 인간이 동물보다
나을 것이 없다는 사실을
잊지 않겠다는 징표입니다.

두 분도 여기선
저렇게 하셔야
합니다.

5 우리는 자기가 이해하지 못하는 것을
야만이라고 부를 뿐.

끔찍해!
야만인들이 불쌍한
원숭이를 학대하네!

네, 하지만 원숭이 가죽으로
성스러운 옷을 만들어 입으면서
우이스티티 신에게 감사합니다.

6 그래, 쉽지 않아, 로베르와 지슬랜.
하지만 이제 겨우 시작했으니 이 길로 꾸준히 걸어가길!
이것이 바로 몽테뉴가 말하는 지혜와 행복의 길이다!

추장이 이렇게 말하는군요.
"불쌍한 악어를 죽여 가방을 만들고
도마뱀으로 시곗줄을 만들지 마라."

우리가 사는 곳에
찾아와서 우리를
귀찮게 하지 마!!

데카르트

수학자·물리학자·철학자.
1596년 프랑스 라에 앙 투렌 출생
1650년 사망

난 프랑스에서 태어났지만 많이 여행했고 네덜란드에서 오래 살았습니다.

주요 작품 :
방법서설(1637)
형이상학적 성찰(1641)
철학 원리(1644)

데카르트의 행복 프로그램

내가 나 자신을 잘 알게 된다면
내 능력 밖의 일에 내 에너지를
허비하지 않게 될 것이다.
내 고유의 잠재성을 계발할 때
행복해질 수 있다.

활동 지역

암스테르담

17세기 네덜란드 연합 지방

자신의 잠재성을 온전히 실현하는 것이 행복의 열쇠가 아닐까?

친애하는 독자 여러분,
그 해답을 찾으러
저와 함께 행복을 향한
항해를 떠나봅시다!

데카르트는 1596년 프랑스의 투르 근처 작은 도시에서 태어났습니다.

네 이름은 르네야.

흠... 여기는 아주 이상한 곳이로다.

다른 철학자들처럼 그도 역시 어린 시절부터 남다른 총명함을 드러냈습니다.

이 피조물은 누구인고? 나를 낳은 인간 여성인가?

그는 수학과 물리, 그리고 천문학을 좋아했죠.

동방박사 세 사람은 별을 따라 예수가 태어난 베들레헴으로 찾아왔단다...

알겠어요, 아빠. 하지만 너무 단순해요.

논리적으로 그 주장을 증명해보세요.

밤에도 그는 생각을 멈추지 않았습니다...

오, 주여... 잠을 이룰 수 없는 이 어린 양을 제발 도와주소서.

눈을 감아도... 눈꺼풀 뒤에서 이미지가 자꾸 일렁이며 보입니다.

이런 이미지들의 핵심을 만들어내는 것이 내 눈인지 혹은 내 생각인지 어떻게 확신할 수 있을까요?

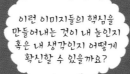

의심할 수밖에요!

그리고 만약 내가 다른 사람이었어도 이런 이미지들이 나타났을까요?

혹시 난 지금 어떤 대상을 생각하고 있는 게 아니라 생각 자체를 대상으로 삼아 생각하고 있는 건 아닐까요?

르네는 이 모든 의문에 해답을 찾고자 스스로 연구와 실험을 계속했습니다.

르네!!!!

네, 아버지. 제가 칠면조 눈알을 뽑아서 해부했어요. 시신경이 어떻게 작동하는지 알아보려고 그랬어요. 제가 잘못했나요?

'친애하는 내 수첩아! 훗날을 위해 여기 기록해둔다. 세상은 아직 내 연구를 받아들일 준비가 돼 있지 않단다.'

젊은 시절 데카르트는 의학에 매료됐습니다.

여러분!
이것이 바로
인체의 혈액
순환계입니다.
너무도 놀라운
발견입니다.

오오오!!
정말 놀라워!!!

인간 몸을 하나하나 뜯어볼 수
있다면, 인간 정신도 똑같이
하나하나 뜯어볼 수 있다.

쓱쓱
쓱쓱
쓱쓱

'친애하는 내 수첩아!
오늘 난 추론을 거듭하다가 놀라운 결론에 도달했단다.
생각을 숫자처럼 정돈하고 논리적으로 구성할 수 있다.'

'나는 오늘 새벽 4시 38분 42초에
인류가 이 세계의 신비를 더 잘 이해하게
해줄 근본적인 발견을 했다.'

"나는 생각한다,
고로
존재한다!"

이거,
대박이야!

그 무렵 다른 발견들도 세상에 대한 인간의 이해를
바꿔놓고 있었습니다.

당신들 미쳤소?
무슨 짓을 하고 있는 거요?

데카르트 선생께
새로 발견한 항성을
보여주고 있습니다.

무엄하오! 신성모독이오!
당신들은 지금 대부분 별의 위치에
바탕을 두고 성립된 의학을 근본부터
흔들고 있는 거요!

이제... 과학을
이성적으로 다뤄야
할 때가 되지 않았소?

내 페르메이르 그림이 네 그림보다 훨씬 더 아름답지. 내 그림이 훨씬 더 비싸니까.

하지만 내겐 렘브란트 작품이 두 점이나 있어.

이곳은 참으로 이상한 물질주의 사회다.

이 사람들은 진짜로 장사와 이익에만 푹 빠져 있어!

17세기는 네덜란드 황금기였습니다. 당시 네덜란드는 인도와 교역이 이뤄지는 상업의 요충지였죠.

어떤 물건은 엄청나게 비싼 값에 팔렸습니다.

물렀거라! 오렌지 공* 각하께서 납신다!!

저런 자는 저렇게 호화스러운 배를 타고, 나는 썩은 돛단배를 타야 한다니, 참을 수 없다!

빈자는 부자를 질투하고, 부자는 자기보다 더 부유한 부자를 질투한다. 사람들은 대부분 이런 악순환에서 벗어나지 못한다.

누구나 어떤 처지에 놓였든 모두 행복할 수 있다는 사실을 내가 논리적으로 증명할 수만 있다면... 그럴 수만 있다면...

옳은 방향으로 가는 셈이다!

수탉 고환 고추 볶음, 말린 상어고기 스테이크, 캐슈 열매 소스에 럼주 플랑베한 애벌레 구이...

와!!

우후!!

* 마우리츠 판 오라녜(Maurice de Nassau), 일명 오렌지 공은 당시 네덜란드 통치자였음.

헬레나, 내 말 잘 들어요!
우리를 불행하게 하는 게 뭔지 알아요?
그건 바로 남의 아름다움, 남의 재산,
남의 명예를 선망하는 마음이에요.

우리는 질투 때문에
욕망을 만들어내죠.

사례 1
모방이 만들어낸 가짜 행복

암스테르담에서
내 정원이 최고야!

흥! 건방지게 잘난 척이야!
우리도 최고의 튤립을 기를 수 있어.
당장 튤립 구근을 사러 갈 테야.

하지만 당신은
꽃을 싫어한다고
늘 말했잖아요.

남을 행복하게 해주는 것이
나도 행복하게 해주리라고 믿는 건
얼마나 어리석은 판단착오일까?

사례 2
자기에게 맞지 않는 행복

드디어!
이 아름다운
꽃을 좀 봐!

말해봐! 누구 정원이
암스테르담에서
가장 아름답지?

하지만
물을 주려면
물뿌리개를 들고
340번이나
오락가락해야
한다고요.

젠장!

내 말 믿어도 돼요, 헬레나.
난 지금까지 이런 사례를
주변에서 수없이 봐왔소.

와... 이 철학자가
정말 멋진 말을 하네!

어? 항구의 지식인?
오랜만이오, 친구!

아, 마침
잘 만났소!

하하! 당신은 여전히 낡은 돛단배를
가지고도 호화로운 선박 소유주만큼이나
행복할 수 있다고 날 설득하려는군요!

맞아요! 그래서
오늘은 도표를 가져왔소.

낡고 작은 배를 가지고도 군주만큼이나, 아니 그보다 더 행복할 수 있다오! 참말이오!

이런! 난... 까막눈인데.

자, 당신이 탐내는 저 거대한 배를 소유하고 있다고 한번 가정해봅시다. 그러면 진정으로 더 행복해질까요?

저 배에는 당신의 작은 배보다 열 배나 많은 짐을 실어야 합니다. 그러려면 새벽에 일어나 밤까지 일해야 합니다. 그런 문제도 생각해보셨소?

그런 생각은 안 했는데..

사례 3
잠재력의 발휘

은유를 하나 보여드리지!

나의 기본 조건 :
작은 배를 가진 작은 선주

군주의 기본 조건 :
큰 배를 가진 큰 선주

하하... 뭐라는 거야?

그는 크고, 나는 작기 때문에
난 그보다 덜 행복하게 살 수밖에 없는 걸까요?

누가 가장 행복할까요?

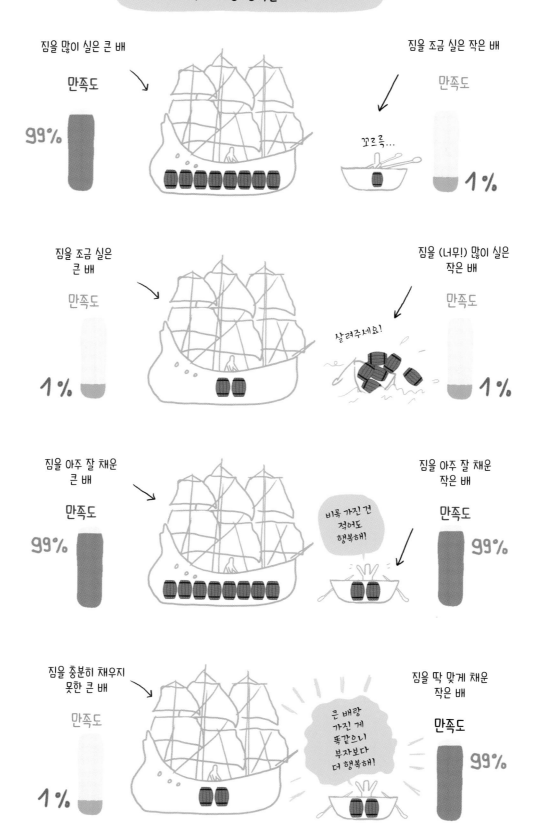

이봐요, 철학자 선생님!
그런 복잡한 얘기는 그만해요!
행복은 책에만 있는 게 아네요.
눈앞에 보물을 두고도 못 알아보는
사람은 아무것도 없는 사람보다
더 불쌍하다고요! 알겠어요?

아... 무슨
말씀인지?

흠... 이건 둘 사이에
부정할 수 없이 작용하는
인력의 수학적 결과인가,
아니면 내가 내 상상력의
놀잇감이 됐다는 것인가?

위스키에 담근 암퇘지 눈,
카라이브식으로 구운 멧돼지
똥구멍...

아! 제발, 제발!
더는 못 하겠어요!

그냥 스페쿨로스 비스킷에
차나 마시는 게 어때?

이 모든 과도함에 이제 질렸어.
역시 르네 말이 맞았어.
다 때려치우고 책이나 읽자!

지금쯤 르네는 양말을 벗삼아
침대에 혼자 누워 있겠지.

자, 우리의 용감한
친구 르네를 위해
다 함께 건배!

짠!
와우!!!

쓱쓱
쓱쓱

'... 안녕, 내 수첩아!
오늘 밤 20시 48분 16초 정각에
새로운 명백한 사실 하나가
환한 빛 속에서 나타났다.
그 진리를 감히 여기 적을까?'

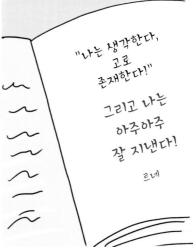

"나는 생각한다,
고로
존재한다!"

그리고 나는
아주아주
잘 지낸다!

르네

데카르트

일상생활에 적용하는 데카르트의 행복 철학

특별출연 :
축구광 질루

1 행복해지고 싶다면 자신에게 적합한 꿈을 품고 살아야 한다.

하하하... 난 세계적인 축수 스타가 될 거야!

질루, 자네가? 그러기엔 체구가 너무 빈약하잖아?

2 불가능한 것을 원하지 말고 자신의 능력을 고려해야 한다.

내 체구가 빈약하다고? 잘 보라고! 비보이보다 더 화끈하지!!

휘릭!

휘릭!

패스도 제대로 못 하는 주제에!

3 남의 행복을 부러워하지 마라. 남의 행복이 내게도 맞으리란 법은 없다.

오, 베컴 신이여! 내게도 샤키라나 아드리아나 같은 미녀를 내려주소서!

질루! 그 여자들 전부 성형 빨이야. 화장 빨이라고!

네 주변에 숨은 보석을 찾아봐! 헛된 꿈은 버리고!

4 더도 덜도 없이 자기 역량에 딱 맞는 행복을 찾아야 한다.

풋샵 4500번, 운동장 667바퀴, 힘들어 죽을 것 같다. 축구 스타의 삶이란 결국 지옥이구나!!

이봐, 질루! 축구는 너한테 안 어울려. 바보짓 그만하고 맥주나 마시러 가자!!

5 그것은 생각보다 훨씬 단순한 것일 수도 있다.

오!!!

질루!

6 브라보, 질루. 넌 드디어 행복으로 가는 길을 찾았어. 이 동네에서 넌 테이블 축구 게임의 신이 될 거야! 게다가 널 사랑하는 제니퍼도 네 아내가 될 거라고!

애들 이름을 호날두와 호나우두라고 지어야지!

걔들은 세계적인 축구 스타가 될 거야!

파스칼

파스칼

프랑스 철학자.
1623년 클레르몽-페랑 출생
1662년 파리 사망

주요 작품 :
팡세(유작)

파스칼의 행복 프로그램

파스칼은 행복이 인간의 활동 영역을 초월해 오로지 신의 곁에서만 가능하다고 믿었다. 그리고 그는 바로 이 장에서 그 믿음의 타당성을 증명한다. 흥미롭지 않은가?

활동 지역

절대왕정 시기 프랑스(17세기)

연약해 보이지만 열정으로 가득 찬
이 젊은이는 과연 누구일까요?

블레즈 파스칼은 1623년
가톨릭 집안에서 태어났습니다.

파스칼은 몸이 몹시 허약해서
온갖 병을 앓았습니다.

다행히도, 그는 뛰어난 재능이 있었기에
곧 과학 천재가 됐습니다.

열아홉 살 때 최초로 계산기를 발명했습니다.

그의 여동생 자클린은 종교를 택했습니다.

파스칼은 연구를 계속했습니다.
당시에는 미지의 분야였던 진공의 물리적 실체도 연구했습니다.

보세요, 신부님!

제가 새로 시작한 실험에 대해 말씀드릴게요.

보시다시피 주사기에서 물을 빼냅니다. 그런 다음, 주사기를 이 액체 속에 넣고 손가락으로 주사기 입구를 막습니다.

손가락을 떼면, 얍! 액체가 주사기 안으로 들어가죠! 제가 만든 진공으로 빨려 들어간 거예요.

아, 멋진 실험이군! 하지만 이 진공이라는 건 유체도 정신도 아닐세. 그러니 신의 창조물도 아니지!

하지만 어떤 것이 신의 창조물이고 어떤 것은 그렇지 않다고 어떻게 신부님 맘대로 정하실 수 있죠?

신께선 그런 걸 허락하지 않아!

신은 인간의 하찮은 이해의 범위를 뛰어넘지 않습니까?

파스칼은 그렇게 대답한 자신이 무척 자랑스러웠습니다.

당시는 과학의 시대였고, 많은 지식인에게 이성은 주도적인 역할을 하고 있었죠.

자클린! 드디어 내 실험들이 결실을 보게 됐어!

유체역학에 대한 이해가 세상을 바꿀 거야!

하지만 자클린은 포르루아얄 수도원으로 들어가버렸습니다.

오빠! 오만을 경계해. 그것 때문에 패망할 수도 있어. 그보다는 성경을 읽으라고!

쳇... 기분 잡치네!

파스칼은 파리에 정착해서 활발하게 사교계에 드나들었습니다.

하지만 스스로 실존적인 질문을 던지게 됐죠.

자, 블레즈, 한잔해!

나와 주사위 놀이 하실 분 계십니까?

이 모든 쾌락과 유흥이 점점 피상적인 것처럼 느껴진다.

내 마음 깊은 곳에 공허가 느껴져...

블레즈. 내 말 좀 듣게. 난 자네가 걱정스럽네. 그렇게 많은 경험을 하고, 그렇게 많은 활동을 하고도 멈출 줄을 모르니 말일세. 이젠 또 병에 걸렸다니!

자네 말이 맞아, 난 쉴 때가 없지...

자네는 그 정도로 권태가 두려운가?

그렇다네. 왜냐면 우리 인간은 죽음을 피할 수 없는 존재니까. 계속해서 뭔가를 하지 않고 행동을 멈춘 순간, 견딜 수 없는 존재의 공허를 의식하게 되지.

그래서 그 공허를 잊으려고 놀이, 일, 전쟁 따위에 몰두하지. 하지만 그 모든 건 비참함을 감추려는 안간힘에 불과해.

그런 상황에서 아버지마저 세상을 뜨자 그는 모든 의욕을 잃었습니다.

아무것에도 관심이 없어...

아아... 두통이 시작됐다!

블레즈가 있으면 우리도 우울해져.

지식은 내게 전혀 도움이 되지 않아, 자클린. 인간의 유일하고 진정한 지식은 이 세상 모든 사물의 무한함이 자신을 초월한다는 사실을 안다는 것뿐이야!

그런 생각은 그만해! 이제라도 정신 차리고 주님께로 인도하는 길을 따르도록 해!

내가 말하고자 하는 '공허'는 바로 '무한'의 다른 표현이야, 자클린!

그 공허는 자연에도 있고, 인간의 마음에도 있어.

그 공허를 내 마음속에서, 내 허영심에서 느꼈을 때, 내 의식이 더는 헛된 생각과 욕망으로 채워져 있지 않을 때...

주님은 내가 내 안에 만들어놓은 그분의 자리에 오실지도 모르지.

그 자리는 내 보잘것없는 이성이 한계를 정해놓은 작은 공간이 아니라...

...엄청나게 넓은, '무한한', 인간이 가늠할 수 없는 '공허'의 공간이야.

아아... 아직 멀었어...

하지만 신의 주머니에서는 무엇이 튀어나올지 알 수 없다고 하던가요.
1654년 11월 어느 날 밤, 블레즈 파스칼은 끔찍한 마차 사고를 당합니다.

블레즈가 안에 있어!

보인다! 살아 있어!!

아아... 이건 기적이야!!

부상당한 파스칼은 신비스러운 열에 들떠 몇 주 동안 침대에 누워 지냈습니다.

불...성령의 불이 날 관통하고, 뜨겁게 달구고 있어.

신이 저기 살아 계시다!

느낄 수 있어!

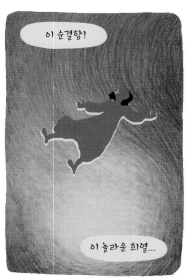

이 순결함!

이 놀라운 희열...

이 사건을 절대 잊지 않으려고,
블레즈는 자기가 경험한 것을 적은 종이를
소매에 꿰매 넣고 다녔습니다.

갑자기 온몸이 가벼워지고,
자유로워졌어! 이 경험을
자클린에게 들려주자.

이제야 길을 찾았군!
우리 성스러운 공동체에
합류한 걸 환영해!

내기

♠ ♥ ♣ ♦

신사 숙녀 여러분! 전 여러분이 원치 않는 신앙을 강요할 생각은 손톱만큼도 없습니다.

저는 지금 여러분께 신이 존재한다는 사실을 증명하려는 게 아니라...

...신을 믿는 편이 이득이 된다는 사실을 증명하려고 합니다.

좋아요, 파스칼 선생. 어쨌든 확률과 가능성에 대한 선생의 연구는 우리 주사위 게임을 아주 흥미진진하게 만들어줬죠!

맞아요! 파스칼 씨 얘기는 아주 재미있어요!

그렇습니다, 친구 여러분! 전 지금 내기를 제안합니다!!

내기라고??

네, 도박 말입니다! 내기에는 조건이 있죠...

이기면 보상을 받지만,

지면 걸었던 걸 날리죠.

우리가 이 내기에서 얻으려는 최종 목표는 바로 '행복'입니다. 이기면 '세상에서 가장 큰 행복', 즉 '영원한' 행복을 얻게 됩니다!!

자, 이만하면 동기부여가 됐죠?

계속해요, 파스칼 씨!

자, 내기에서 이길 가능성을 따져봅시다.

가능성 1

'지상에서 내 삶'은 '죽음'으로 한정돼 있다. → 내가 죽는다 → 무한하고 영원한 '죽음 이후의 삶'이 있다.

가능성 2

'지상에서 내 삶'은 '죽음'으로 한정돼 있다. → 내가 죽는다 → '죽음' 이후에는 아무것도 없다.

죽음,
그것은 혼란스러운 요소다.
이후에 무엇이 있는지는 불확실하다.

내기 :
두 가지 선택 중 하나를 고른다.

1. 신은 존재한다.   2. 신은 존재하지 않는다.

자, 여러분!
선택해주세요!

그리고 그 선택에 따라
자기 삶을 살아주세요.

선택 1

신은 존재하지 않는다

내가 사는 동안 했던 모든 것

죽음

죽음 뒤에 나를 기다리는 것

처벌에 대한 두려움 없이
내가 원하는 대로 살았다.

나는 자유롭다.
내게는 한계가 없다!
내 삶은 멋진 록앤롤!

변화 없음

신은 존재하지 않는다!
휴우!!!
아무 일도 일어나지 않는다.
내게 아무 변화도 없다.

지옥

실제로 신이 존재한다!
망했다!!
나는 심판받고 나서 곧바로
'지옥'으로 갈 수 있다.

결과

최선의 경우
즐거움이 있는 삶, 그러나 시간의 제약을 받은 짧은 삶을 산다.

최악의 경우
영원히 지옥에서 벗어나지 못한다!!!

얻는 것은 조금이거나 없고 무한히 잃은 상태로 남는다.

선택 2

신은 존재한다

내가 사는 동안 했던 모든 것

죽음

성경의 가르침에 따라 성실하게 살아왔다.
현명하게 충동을 제어하고 올바르게 처신했다.

무엇보다도 내면의 평화를 찾으려 했다.

죽음 뒤에 나를 기다리는 것

변화 없음

신은 존재하지 않는다!
신이 존재한다고 믿고 많은 노력을
기울였지만, 그 믿음은 틀린 것으로
밝혀졌다. 하지만 적어도 그동안
올바르게 살아왔다.

천국

결국 신은 존재한다!
대박이다!
천국에서 영생을 얻는다.

결과

최선의 경우
무한하고 영원한 행복한 삶을 산다.

최악의 경우
잃을 것이 별로 없다. 부정직하고 방탕하게 살 때
얻을 수 있는 금전적 이득이나 타락한 쾌락 정도.

약간 손해를 보거나 또는 무한히 큰 것을 얻는다!!

우린 꼼짝없이 걸려들었어요!

좋아요. 하지만 내기가 계속되는 동안 우리는 결과를 알 수 없는 불확실성 속에서 살아야 하잖아요?

네, 하지만 죽음이 결과를 알려줄 때까지 여러분은 늘 희망하는 상태로 살아가게 되죠.

당신이 희망을 잃지 않고 삶의 여정을 계속할 수 있었다면, 이는 당신이 평화로운 삶을 살았고, 주변 사람들에게 진실하고 선량한 친구였다는 의미이기도 합니다.

괜찮은 거 아닙니까?

게다가 그사이에 신께서 여러분에게 자기 존재를 스스로 드러내실지도 모르죠.

이처럼 신앙에 눈뜬 파스칼은 길 잃은 양들이 스스로 무리로 돌아오도록 노력을 기울였습니다.

파스칼의 내기는 행복을 욕망하지 않을 수도 없고, 그렇다고 행복을 찾을 수도 없는 덧없는 인간 존재의 절망에 대한 대답이었습니다.

파스칼이라는 분에겐 신의 존재를 추론하는 자기만의 방법이 있어요!

그거 다 허풍이라오!

어쨌든 중요한 것은 결과가 아니겠어요? 그렇죠?

하하! 여러분도 그렇게 생각하죠?

찡긋

자네가 이런 상태에 있으니 마음이 아프군!

하아... 하아...

마음 아파 하지 말게.

난 평소에 인간의 불행이 방에서 조용히 쉴 줄을 모른다는 아주 단순한 사실에서 비롯한다고 말하곤 했지. 기억하나?

내게도 이 순간이 찾아왔군. 난 많은 열락이 기다리고 있는 저편으로 어서 가고 싶다네.

자네 아버지와 여동생 자클린도 자넬 기다리겠지.

그래, 내가 종교에 귀의하게 한 죄인들도 날 기다리고 있겠지!

하하... 때가 됐어... 잘 있게, 친구여!

저기...약속의 땅이 보인다... 영원!!

할렐루야, 천국은 존재한다. 내 말이 맞았어!!

오빠! 결국... 이제야 왔구나!!

자클린! 너도 여기 있구나. 희열과 환희가 우리 모두에게!

쉿! 오빠, 조용히!, 여긴 명상하고 기도하는 성스러운 곳이야.

안으로 들어오기 전에 발을 깨끗이 닦아!

잔디를 밟지 마. 조심해서 산책로로만 다녀야 해. 그리고 발 딛는 곳을 잘 보고 걸어야 해, 오빠!

잔소리... 기분 잡쳤어!!

칸트

독일 철학자.
1724년 오스트 프로이센 쾨니히스베르크 출생
1804년 사망

주요 작품 :
순수 이성 비판(1781)
실천 이성 비판(1788)
판단력 비판 (1790)

여러분에게 알립니다. 독서는 절대 쉽지 않아요.

칸트의 행복 프로그램

행복해지려면 먼저 행복할 자격이 있는 인간이 돼야 한다. 절대로 쉬운 일이 아니지만, 그래도 이 장의 내용은 읽어볼 만하다.

당시 상황

1970년경
계몽시대
프랑스 혁명 당시

쾨니히스베르크

프러시아

칸트 출생지

인권선언문! 짱 멋져!

폴란드

오스트리아

프랑스

만약 행복 추구가 의무라면?

내가 끊임없이 강조했잖나!

탁!

독립성과 책임감이 기본이야. 하지만 사람들은 사리사욕에 눈이 어두워 그런 중요한 원칙을 지키지 못해!

그럼, 물론이지!

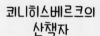

그들이 원하는 건 모두 똑같다네. 돈과 권력이지!

그걸 얻으면 왕도 되고 황제도 되지 않던가...

하지만 그런 자들의 운명은 결국 단두대에서 끝났어!!

혼자서 잘도 지껄이네! 불평쟁이 영감!

쾨니히스베르크의 산책자

칸트 교수님, 만나뵙게 되어 영광입니다!

그흥 그흥

저는 교수님의 열렬한 숭배자입니다!

이런, 아첨꾼이군!

선생!

이 프로이센 왕국에서 저보다 더 열성적인 추종자는 찾아보실 수 없을 겁니다!

저 나무와 이 화단이 교차하는 이 지점에서 전 15시 38분 정각에 선생님이 지나가시길 기다리고 있었습니다.

엠마누엘 칸트는 대단히 존경받던 철학자였습니다.
그가 대학에서 형이상학을 가르치던 쾨니히스베르크에서 그는 이미 명망 높은 인물이었죠.

과학적 진리가 성립되려면 먼저 감각적인 자극이 있어야 합니다. 하지만 다양하고 복잡한 자극을 '지금, 여기에 있는' 것을 파악하는 방식으로 정리된 어떤 지각으로 파악하는 것은 우리 감성이 그 경험을 시간적, 공간적으로 정리하기 때문이죠. 그것이 명확한 인식이 되려면 사유의 힘으로서의 오성이 필요합니다. 이렇게 명확한 대상, 확실한 인식은 감성과 오성의 협동을 통해 성립합니다. 이성은 이처럼 인식된 앎을 몇 가지 원리로 정리합니다. 그리고 이런 여러 가지 능력은 근원적 자아에 의해 통합되죠. 대상은 우리의 근원적 자아의 활동이나 조직을 통해, 경험적 방법을 통해 인식됩니다. 그런데 만약 외부에서 주어지는 감각적 소재가 없다면 자아는 텅 빌 수밖에 없죠. 반면에 추론하는 능력인 오성이나 이성의 권한을 명확히 정하는 것은 이 능력의 행동 범위를 규정하는 과정이라고 볼 수 있습니다. 이런 한계가 있음에도 형이상학은 사유의 힘을 공전시켜 감각적 경험이 불가능한 신, 영원, 자유 같은 개념마저도 마치 실제 대상이 존재하는 것처럼 여겼습니다. 따라서 형이상학적인 것을, 자연 대상을 인식하는 방식으로 접근할 수 없고, 신이나 영원이나 자유는 자연과학 세계가 아니라 도덕적 실천의 문제입니다.

자, 여기까지...

브라보!!

짝짝

과학과 문학의 열성적인 애호가였던 칸트는 계몽주의자들의 사상에 깊이 빠져들었습니다.

존 로크! 데이비드 흄! 볼테르! 애덤 스미스...

그 밖의 많은 사상가가 인간을 자유로 인도하리라!

그중에서도 장 자크 루소를 가장 좋아했죠.

너무도 아름다운 책이다. 훌쩍!

백성의 지고한 권리를 위해 큰 노력을 기울였어!

오늘도 잘 자게! 내 꿈 꿔, 장 자크!

칸트는 고집불통 노총각이었지만 오로지 신만을 믿으며 살아가는 단순하고 엄격한 인물이었습니다.

땡! 땡 땡 땡 땡!

다섯 시 정각인데 왜 커피가 안 나오나?

네, 네! 곧 대령하겠습니다.

오늘도 공원에 산책하러 갈 테니 우산 들고 따라오게!

매일 똑같은 일정인데 뭘, 불평쟁이 영감!

그는 한 번도 자기가 사는 곳을 떠난 적이 없었지만, 지식인들의 방문은 마다하지 않았습니다.

프랑스의 인권선언은 정말 대단하지 않습니까? 어떻게 생각하시오?

프랑스령 생도맹그 사탕수수밭에서 일하던 흑인들이 반란을 일으켰다는 소식은 들으셨소? 프랑스 정부는 모든 식민지에서 노예제를 폐지하려고 한답디다!

좋았어!

인간이 이제야 자신을 옥죈 외적인 사슬에서 풀려나려고 하는군. 하지만 자기 내면을 옥죈 사슬에서 해방되려고 할 때 오로지 이성만이 그 역할을 해낼 수 있지!

시대정신을 이해한 철학자 칸트는
이성을 철학적 성찰의 가장 중요한
주제로 삼았습니다.

이성이
다는 아니야!

하지만 데카르트와 달리
그는 이성의 한계에 주목했습니다.

행복도
이성으로만
설명할 순 없어.

누구에게나 유효한
보편적인 행복의 정의를
찾는다는 건 불가능해.

각자 행복을
자기 방식으로
정의하지.

따라서 정해진 행복의 비결 같은 건
존재하지 않는다고 생각했죠.

행복의 비결은
있을 수 없어!

있다면 벌써
알려졌겠지!

이성을 이용하는 것이 필요하지만,
이전과는 다른 방식을 찾아야 해.

나는 도덕이 우리를 더 나은
삶으로 인도한다고 굳게 믿어.

그 사실을 증명해서 인간이 스스로
자신을 극복하는 데 도움이 되고 싶어!

장 자크! 우리 둘이 함께
이 행복이라는 문제를 풀어보세!

하지만 먼저
쾨니히스베르크의
한적한 산책길로
돌아가볼까요?

존경하는 교수님!
제가 혜안이 빛나는 교수님의
논문을 완전히 이해했다는 사실을
증명해 보이겠습니다.!

쯧쯧...
못난 놈...

그리고 그 과정에서 호기심 많은
이 소녀들에게 가르침을 준다면
이 또한 좋은 일 아니겠습니까?

우쭈쭈!!

자, 개략적으로 말하자면 교수님께서는 우리 각자가 행복을 삶의 목표로 삼아선 안 된다고 말씀하셨습니다.

실제로 행복은 허망한 것일 수 있죠.

우리는 어떤 사람의 행복이 다른 사람의 불행이 되는 현실을 흔히 목격하곤 합니다.

교수님의 탁월한 저술에서 해결을 시도했던 과제는 결론적으로 '행복해지려면 나는 어떻게 해야 하나?' 라는 문제가 아니었습니까?

이 문제에 관해 저기 소녀들의 의견을 들어보면 어떻겠소?

얘들아! 저분들이 하시는 말씀 들었니? 큰 영광이구나!

난 해답을 알아요!

모두가 행복해지고 싶다면 남에게 해를 끼치지 않고, 모두가 함께 재미있게 노는 완벽한 세상을 만들면 되죠!!

모두 함께!

흠...재미있군. 하지만 소녀들이 좋아하는 게 늙은이 취향에는 맞지 않아.

재미있는 것은 저들이 행복을 무엇보다도 **집단적인 것**으로 이해하고 있다는 사실이야.

행복에는 타자가 필요하다는 거야.

이성을 통해 행복의 문제를 해결하기는 불가능하므로 나는 다른 관점, 다시 말해 도덕의 관점에서 접근했지.

엄마, 도덕이 뭐예요?

아, 도덕이란 모든 사람이 좋은 상태에서 살 수 있게 각자가 잘 처신해야 하는 의무를 말하지!

얘들아, 들었지? 저분은 말씀도 잘 하셔!

너무 지루해!

짜증...

예를 들어 너희 장난감 굴렁쇠를 너희보다 더 필요로 하는 아이에게 빌려주는 건 도덕적인 행동이야.

사람 사이에 조화를 유지하게 해주는 것이기도 하단다!

남에게 착한 행동을 하는 건 도덕적이야.

하지만 굴렁쇠를 남에게 주고 우리가 얻는 건 뭐죠? 장난감을 줬으니 우리 놀지도 못하잖아요.

맞아요! 대답해요!

아, 귀여운 아이들이야!

착한 일을 하면 주위에서 칭찬도 받고, 엄마가 너희를 아주 자랑스러워 하시겠지!

너희가 굴렁쇠를 빌려준 친구도 너희에게 고마워하고, 또 함께 놀 수도 있을 거야!!

뭐라고??! 절대 그래선 안 돼!!

아무 대가 없이 줄 때 느끼는 기쁨이 행동의 동기여야 해!

122

중력 문제

우리가 어떤 도덕적 선택을 해야 할 때 아주 거대한 어떤 것, 우리를 초월하는 어떤 것으로 인도하는 문 앞에 서 있게 되죠!

물론 우리에겐 그 문을 열지 않을 자유가 있지만, 열어야 합니다!

아, 뭔가 재미있을 것 같군요! 대체 어떤 얘기죠?

자, 제가 예를 들어보죠.

여기 그림에 미친 한 남자가 있습니다.

대가의 작품을 보면 어떻게든 가지고 싶어 견딜 수가 없어요!

어느 날 그는 왕궁에서 귀중한 작품을 보자 갖고 싶은 욕심을 주체하지 못했습니다.

그는 결국 작품을 훔치기로 했습니다.

하지만 그런 범죄를 저지른다면 받게 될 처벌은 너무도 명백했습니다.

죽어랏!

첫!

그는 어떻게 해야 할까요?

난 미치지 않았어! 앞으로 갖고 싶은 충동을 잘 통제할게.

사례 1
선택은 명백하다.
남자는 어떻게든 살아남으려고 한다.

사례 2
그림이 사라졌다.
남자는 결백하지만 의심받아 체포된다.

도둑이야!

내가?

왕은 끔찍한 거래를 제안합니다.

네가 아니라 이 자가 그림을 훔쳐갔다고 고발하면 널 살려주마. 그러지 않으면 넌 죽어!

하지만 나처럼 그도 결백해요!

뒤처리는 내가 할게! 이 자는 내 의붓 형이거든.

이 위기의 순간에 그는 어떻게 해야 할까요? 당연히 무슨 짓을 해서든 살려고 애쓰겠지만, 갑자기 이런 엉뚱한 생각이 뇌리를 스칩니다!

대체... 왜 내게 이런 일이 일어난 거야? 내 양심의 소리가 들려!

이 남자는 내가 전혀 모르는 사람이지만, 난 이 사람의 목숨을 구할 수 있어!

갑자기 그는 혼란에 빠졌습니다.

그 순간 그는 어떤 고결한 것, 자신을 인류 전체에 연결하는 어떤 보편적인 것을 자기 내면에서 분명히 느꼈던 겁니다.

그가 느낀 것은 바로 다른 사람의 삶에 대한 무한한 존중으로 자신을 희생할 수도 있는 가능성이었습니다.

자신이 단순히 살아남는다는 의미를 훨씬 높이 뛰어넘는 고결한 행위라고 할 수 있죠.

미친 짓이지만 아름답지!!

우리는 누구나 이성을 통해 자기 내면에 있는 존재의 존엄성을 확인할 수 있어요.

이 고유한 것을 아무도 파괴하거나 자기 뜻대로 종속시킬 수 없습니다.

그리고 자신뿐 아니라 타인의 존엄성도 존중할 **의무**가 있어요.

누군가의 생명을 구할 가능성이 있는 그의 선택은 이제 **절대**를 향합니다.

그는 엄청난 자유, **진짜** 자유를 얻은 겁니다!

그것은 인간으로서의 자신을 초월할 자유죠.

하지만 교수님...

죽는데도 행복할 수 있다고요?

127

요약 : 칸트가 말하는 행복

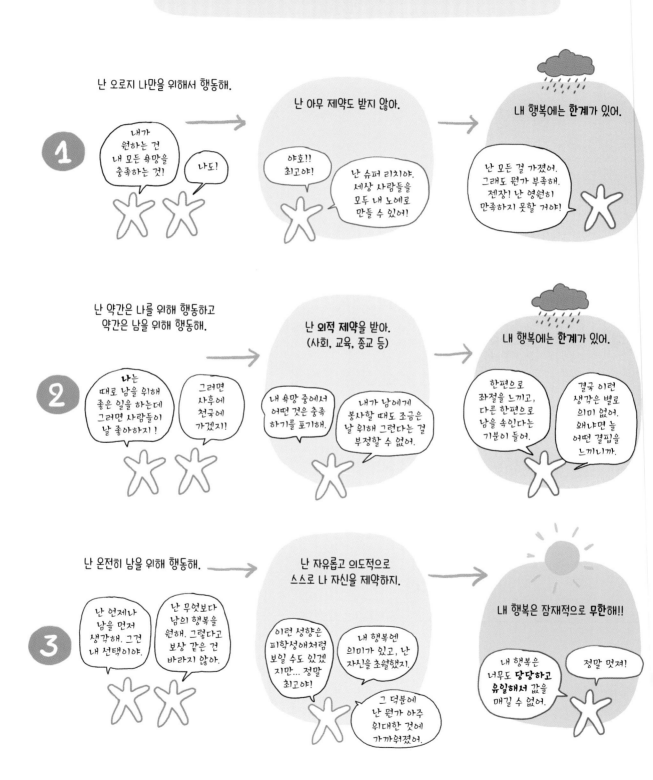

칸트

일상생활에 적용하는 칸트의 행복 철학

요요맨!

특별출연 :
길거리 가수 마뉘

1 행복하다는 것은 자기 행복보다 남의 행복을 먼저 생각하는 것이다.

안녕! 난 마뉘, 거리의 가수죠!

간단해요, 누구를 만나든, 난 그를 행복하게 해줘요.

잠깐만, 할머니! 제가 도와드릴게요!

2 그러려면 도덕을 따르며 사심 없이 행동해야 한다.

우리 할머니를 도와줘서 고마워요!

별말씀을! 제 좌우명은 '사람이 먼저다!'

오, 매력적인 아가씨. 오늘밤 잘 곳은 있나요?

3 자신만의 편의와 사적인 이익을 추구하고 싶은 욕심에 저항하려면 의지가 필요하다.

당신... 냄새 지독해!

우리가 물을 아껴야, 아프리카 친구들에게 도움이 되잖아!!

게다가 여긴 물값도 비싸!

4 당당하게 행동하고 남을 존중할 때 유일하고 값을 매길 수 없는 행복을 누릴 자격이 생긴다.

난 내 음악으로 사람들을 치유해.

매트리스 하나에 사람은 여섯! 오예, 오예...

내 노래는 노숙자들에게 존엄성을 되찾게 해주죠.

5 요약 : '모든 사람이 너처럼 한다면 훨씬 더 좋은 세상이 될 것이다'라고 말할 수 있도록 행동하라.

내 타악기 연주로 온 지구에 좋은 진동을 가득 퍼트릴 겁니다!

밤! 밤!

난 병든 세상을 치유해요! 자, 함께! "이제 전쟁은 그만해요! 우리 모두 젬베를 쳐요! 오예, 오예, 오예!"

바다 밤! 밤! 밤! 밤! 밤!

6

시끄러!!

신고할 거야! 잠 좀 자자!!

큭큭... 봤지? 세상은 저렇게 자기만 생각하는 찌질이들로 가득해. 역겹다, 역겨워!

혹시 돈 좀 없어? 나 맥주 한잔하게...

에휴... 마뉘! 넌 아무것도 이해하지 못했어! 젬베 따위는 던져버리고 이 꼭지 맨 앞으로 돌아가서 칸트 선생의 말씀을 처음부터 다시 차근차근 읽어봐.

벤담

영국 철학자·법학자·개혁가.
1748년 런던 출생
1832년 사망

주요 작품 :
도덕과 입법의 원리 서설(1789)
의무론 혹은 도덕학(1834, 유작)

벤담의 행복 프로그램

잘 행동한다는 것은
무엇보다도 쓸모있게 행동하며,
모든 이의 행복에 이바지하는 방식으로
행동한다는 뜻이다.

활동 지역

1750-1800년
영국

런던

서유럽의 18세기는 계몽주의 시대였습니다.
절대왕정 시대가 끝나면서 지식인들은
특히 대중 교육을 통해 누구나 행복해질 수 있다고 믿었습니다.

행복을 정의할 순 없지만, 그것이
그리 먼 곳에 있지 않다는 이 놀라운
진보적 사실이 발하는 계몽의 불빛으로
대중을 환하게 밝혀줘야 합니다!

행복을 정의할 순 없지만, 그것이

옳소, 어려울 것도 없소!
맞아요, 그럽시다!!

목적론적 프리즘을 통해!

이건 존재론적
합리주의 문제요!

아니, 이건
종말론적 증거요!

브라보!
마찬가지!

짝짝
짝짝
짝짝

교수님,
그 모든 담론에
초월적 이성의 힘을
잊지 맙시다!!

이 무슨 헛소리?
실질적인 내용은
하나도 없이 오로지
말의 성찬이군요...

저들은 복잡한 책을
여러 권 써서 학생들에게
읽으라고 합니다.

학생들은 그걸로
뭘 할까요?

전 비판 이성의 각성에 대한
교수님의 연구를 하나하나 검토하고
그것을 미학적 판단에 따라 재검토해
18권의 책으로 집필했습니다!

호호... 자네 성찰이
날로 발전하는군!!

영국에서는 이 장면을 볼 수 없었습니다.

쯧쯧...

우린 훨씬 더
구체적으로 사고하죠!

쪼르르

차 한잔 마시고 나면 곧바로
소매를 걷어붙이고 현실로 뛰어들죠.

재능 있는 법조인 제러미 벤담은 내용 없이 말만 많은 담론보다는
실제로 가장 많은 사람을 가장 많이 행복하게 해줄 수 있는
구체적인 사회적 실천 기구가 필요하다고 생각했습니다.

오늘날 사회를 보시오.
엄청난 속도로 변하고 있소.

대륙 유럽인들과 달리
영국인들은 이미 봉건제를 벗어났습니다.

여러 차례 혁명을 거쳐
시민 계급은 발언권을 확보했습니다.

산업화가 시작되면서
도시와 마을이 변화하기 시작했습니다.

예를 들어 미국에서 면화를 수입해서
실을 잣고 천으로 만들어 수출했습니다...

이제 개인의 생존은 오로지 부족과 가족,
영주에게만 달려 있지 않게 됐습니다.

와트의 증기기관은
우리에게 큰 공헌을
하게 됩니다!

각자가 사업을 벌여
자신의 필요와 욕구를
충족할 수 있게 됐죠.

이제 개인은 자신에게 적합한 행복을
스스로 만들어내는 존재가 됐습니다!

하지만 개인은 또한 책임을 져야 하는
존재가 됐습니다. 왜냐면 그의 행동은
다른 사람들의 삶에 영향을
끼치기 때문이죠.

이처럼 매우 자유로운
경제 활동에는 어떤 이타주의가
반드시 개입돼야 했습니다.

여보, 우리 밭농사만 짓지 말고
천 짜는 일도 해보면 어떨까요?

좋은 생각이오!
난 봉제가 좋아!

자신만의 행복을 찾는다...
네, 하지만 다른 사람들의
행복도 고려해야 합니다!

그리고 그 모든 걸 구조화하는
형식과 기본 규칙이 필요하죠.

나의 가장 기본적인 생각은
모든 이에게 이로운, 쓸모 있는
규칙이 필요하다는 겁니다.

공동체 모든 구성원이
행복해진다면 모두 승자가
되는 사회를 구현할 수 있죠!

결과적으로 좌절이
적을수록 범죄도 적고
저항도 적어집니다...
각자가 자신의 몫을
찾을 수 있으니까요!

이것이 나의 대표 이론인
공리주의의 핵심입니다.

자, 공리주의가 어떻게
작동하는지 보실까요?

행복 생산기

출발

사실 확인 :

사회적 불평등과 특권 때문에
사회 구성원 사이에 큰 격차가 있다.

> 예를 들어 군주는
> 농부보다 행복할 가능성이
> 훨씬 크다.

목표 :

최대 다수의 최대 행복을 위한
기존 체제 수정

**변화를 위한
4가지 원칙**

유용성

사회에 **유용한** 모든 것은 국가가 보증한다 :
정의, 세금, 화폐, 개인 주도 사업의 보호 등

> 여보, 기회가 좋아!
> 돈을 빌려 내가 전에
> 말했던 직조기를
> 살 수 있게 됐어!

> 우와!
> 공장을 열면
> 직원도 뽑게
> 되겠네!

> 이건 사회를
> 구성하는 여러
> 장치 간의 **거래**야.

> 수익을
> 냅시다.

> 좋아!

공정성

모든 형태의 행복은 똑같이 **가치** 있다.
어떤 것도 다른 것보다 더 중요하지 않다.

> 난
> 사냥을
> 좋아해.

> 난
> 독서를
> 좋아해.

> 난 아무것도
> 안 하는 걸
> 좋아해.

가자!

최대 다수의 행복

얼마나 실용적이고 효과적인가!

선도 악도 없다. 핵심을 향해 직진!

결과성

사용한 수단이나 행동하게 한 의도는 별로 중요하지 않다.
중요한 것은 모두에게 유용하고 모두를 행복하게 해준 결과다.

이 도로를 넓히면, 상업이 발전할 거야.

내 땅을 내놓으라고?

미안하지만 많은 사람에게 도움이 될 거야!

도착

내 왕국은 번성하고, 저항도 없어.

도시도 우리도 부자 됐다!

합산성

행복하지 못한 사람도 있겠지만, 중요한 점은
전체 인구 중에서 행복한 사람들의 **합계**가 더 많다는 데 있다.

우리 지역에서 온천이 발견됐어. 관광사업을 하자!

뭐...
난 별로..

관광객이 많이 몰려오면 지역 경제가 활성화될 거야!

어려움을 겪는 사람들을 뽑았어.

단순한 선행이 아니라 생산력 향상을 위해서였어. 이야말로 상생이지.

우리가 도달하려는 이상적인 목표는 만족한 사람이 최대한 많아야 한다는 겁니다.

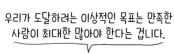

하지만 실제로 모든 사람을 100% 행복하게 한다는 건 불가능한 일이죠... 언제나 어디서나 실망하고 불만족한 사람이 있게 마련이니까요.

행복하지 않은 사람이 있다는건 안타깝지만, 행복한 사람이 더 많다는 사실이 중요합니다.

최다 인원이 행복한 것, 그것이 목표이고, 그것만 해도 엄청난 거죠!

우리는 관념적이기보다 구체적이고, 효율적이고, 실천적입니다. 그래야만 현실을 개선할 수 있죠!

하지만 유럽 대륙에서는...

교수님, 어떻습니까?

여러분이 공허한 담론만 늘어놓는 사이 바다 건너 저자들은 우리를 앞서버렸소!

참을 수 없소. 모두 미소 띤 얼굴로 우리보다 훨씬 행복해 보입니다. 당장 대책을 세우고 저들을 아예 뭉개버릴 방법을 찾아야 합니다!

하아... 하지만 어떻게 그런 방법을 찾지요, 교수님?

책을 더 많이 쓰란 말이오! 엄청 많이!!

네, 교수님! 가능성의 지평을 더 넓히기로 하죠!

양자역학적 인식론 연구를 제안합니다.

욕망의 존재론적 실증성을 새롭게 성찰합시다.

이 연구는 거의 끝나갑니다!

생각과 말은 많아도 실천하고 결과를 내는 경우는 드물죠.

자, 영국 차 한잔 더 하시겠소?

후후

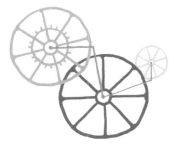

쇼펜하우어

독일 철학자.
1788년 프러시아 단치히 출생
1650년 프랑크푸르트 암마인 사망

주요 작품 :

나의 저작물이야! 철학의 정상에 선 작품들!

의지와 표상으로서의 세계 1819

논쟁에서 언제나 이기는 법 1830-1831

쇼펜하우어의 행복 프로그램

인간은 내면에서 끝없이 생성되고 계속되는 욕망과 거리를 둘 때 평정을 얻을 수 있다.

활동 지역

1850년 무렵, 독일의 프랑크푸르트 암 마인

사요! 팔아요!

주가 예상 일간지 사세요!

슈미트 기업 주식을 사시오! 대박 납니다!

저 머저리들 설쳐대는 꼴 좀 봐, 정말 한심하다!

한탕 하려고 눈이 벌게서 발광하는군!!

제 딴에는 아주 잘하고 있다고 생각하겠지, 바보들!

저들은 단지 자신의 덧없는 욕망에 휘둘리고 있을 뿐이야!

소시지! 맛있는 프랑크푸르트 소시지 팝니다!

우린 이걸 원해! 우린 저걸 원해! 대체 무얼 위해 그러냐? 아무것도 아닌 걸 위해!!

이것이 끔찍하고 잔혹한 진실이야. 바로 내가 그 증인이지!

너만이 내 말을 이해해, 그렇지? 내 귀여운 보석!

쪽

쓰악

쓰악

추릅!

하아! 너야말로 영원한 내 보석이야!

이분이 바로 저 유명한 철학자 쇼펜하우어입니다.

냉소적이고, 괴팍하고, 때로 반동적인 이 늙은이의 이면에는 당시로서는 매우 독창적인 사상을 전개한 철학자가 숨어 있었습니다.

왜요? 강아지에게 뽀뽀하는 사람 처음 봤소?

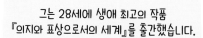

그는 28세에 생애 최고의 작품 『의지와 표상으로서의 세계』를 출간했습니다.

부다, 소크라테스, 플라톤, 오... 위대한 정신들이여, 나를 봐주시오!

내 이름은 쇼펜하우어요. 난 서양 정신을 폭파해버릴 거요.

하지만 그에게 성공은 찾아오지 않았습니다.

아... 여전히 한 권도 팔리지 않았습니다!

그럴 수가! 확실한 겁니까?

하지만 내 천재적 지식으로 세상을 밝혀야 합니다!

영광을 고대하며 기다린 지 15년이 지나자 그는 아무 성과 없이 집으로 돌아갔습니다.

잘 있어라, 이 바보들아! 멍청이들!

쾅!!

내 천재성이 빛나는 날이 반드시 오리라!

이후로 그는 넉넉하게 연금을 받으며
안락하게 여생을 보냈습니다.

세상이
싫다!

그는 자신의 놀라운 발견을
우리와 함께 나누려고 했을까요?

똑
똑
똑

꺼져요!
쇼펜하우어 씨는
관광객을 받지 않아요!

요새처럼 견고하게 닫혀 있는 저택!
하녀 마르가레테만이 집 안을 오갔습니다.

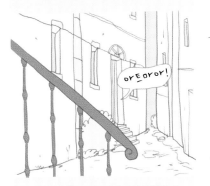

아트마야!

주변 사람들이 전혀 눈치 채지 못하게
뒷문을 통해 안으로 들어왔을까요?

아트마아아아?
이 개구쟁이야! 어디 갔다가
이제야 나타난 거야?

멍멍!
멍멍멍!

좋아요! 양파 위에
반만 익힌 소시지를 올려서
아트마에게 주도록 해요.

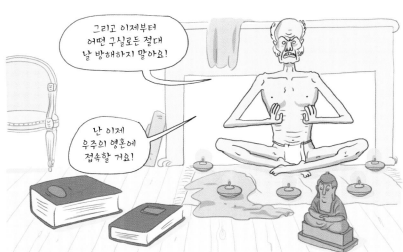

아르투어 씨!
아트마가 혼자 산책하고
이제야 돌아왔어요!

어서! 제때 돌아왔군요!

그리고 이제부터
어떤 구실로든 절대
날 방해하지 말아요!

난 이제
우주의 영혼에
접속할 거예요!

I. 의지로서의 세계

불교에 대한 깊은 이해와 요가 수행을 바탕으로
쇼펜하우어 선생님은 우주에 접속하신 상태를 보여주셨죠.

그것은 믿을 수 없을 만큼
숨막히는 장면이었습니다!

하아!

날 방해하지 말고
제발 좀 꺼져줄래?

선생님께서는 매우 죄송하지만
삶에 대한 선생님의 접근 방식이 매우 흥미로워서
조금이라도 이해해보고 싶었습니다...

흥!
이해한다고?
뭘 이해해?

이해할 건
아무것도 없어.
우리는 존재하다가
죽어. 그게 전부야.

선생님의 철학체계는 어떤 것인가요?
세계관은 어떤 것인가요?

아트마야,
저 말 들었니?
하하하!

인간은 언제나 스스로 문제를 제기하고
늘 자기 삶에 의미를 부여하고자 했습니다...

대체 왜 !!!!!??!?

그는 대답을 먼 곳에서, 하늘에서
혹은 무한에서, 그 모든 엉뚱한 것에서
찾고자 했습니다.

우리 관심은 '왜?'가 아니라
'무엇?'이야. 우리는 누구인가?
우리가 사는 이 세상은 무엇인가?
바로 이런 것에 관심 있다는 거야.

쉿!

들어봐!
느꼈어?

무엇을 듣고, 무엇을 느끼라는 건가요?

목적지

성공이다!
나는 보편 의지와 공명하게 됐다.

나는 진리에
접근한다.

나는 열반으로
향하는 길에 있다.

나는 이제 고통을
느끼지 않는다. 온전한
평정을 얻었다.

나는 세계를
관조할 수 있다.

더 멀리
나아가려고
동방과 불교에서
영감을 얻는다.

나는 욕망의
손아귀를 완전히
벗어났다.

좋아!
좋아졌어.

드디어 지혜로 향하는
올바른 길로 들어섰다!

나는 요가와
명상을 하지.

게다가 아트마는
내 강아지에게
붙여준 이름이다!

거기 도달하려면
내 육체의 욕구와
무관해져야 한다.

산스크리트어로 '세계의
영혼'을 뜻하는 아트마에,
자기 정신을 열어야 한다.

나는 내 개인성을
벗어났다.

나는 끝없이
욕망하기를 멈췄다.

나는 이제 과거를
곱씹거나 나를 미래에
투사하지 않는다.

나는 선택한다.
어떤 것은 포기한다.

나는 다가올 내 죽음에 대한
거짓 위로를 포기한다.
(신앙, 종교...)

나는 내게 남은 시간을
활용하려 한다.

나는 불필요한
고통을 피한다.

자, 조금만
더 힘을 내!

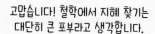
고맙습니다! 철학에서 지혜 찾기는 대단히 큰 포부라고 생각합니다.

고맙긴! 어쨌든 이건 일생을 건 작업이야!

좋은 거라곤 아무것도 주지 않는 이 세계에 스스로 적응해야 해. 그럴 수 없다면 이 세계에서 완벽하게 벗어나는 수밖에!

인생은 투사의 여정일세. 우리는 수많은 장애를 쩝쩝... 극복해야 한다네!

쩝쩝
쩝쩝

힘든 일이지. 하지만 난 내가 해야 할 일을 했어. 세상에서 벗어날 방법을 사람들에게 알려줬다고!

단순하게 살기로 작정하고, 끝없이 욕망하기를 멈추란 말야! 왜냐면 너희가 지금 욕망하는 건 실제로 이미 다 가지고 있거든.

오오.. 내가 한 말이지만 너무도 아름다워, 그치? 아트마!

아빠가 정말 멋진 말을 했지?

아! 이 작은 피조물이 그토록 뛰어난 천재성을 담고 있다니!

아빠의 지성을 평가할 줄도 아는 천재!

야야!!!

무슨 짓이야? 이 더러운 놈!

발정이 나서 어쩔 줄 몰라?

이 사람만도 못한 놈아!

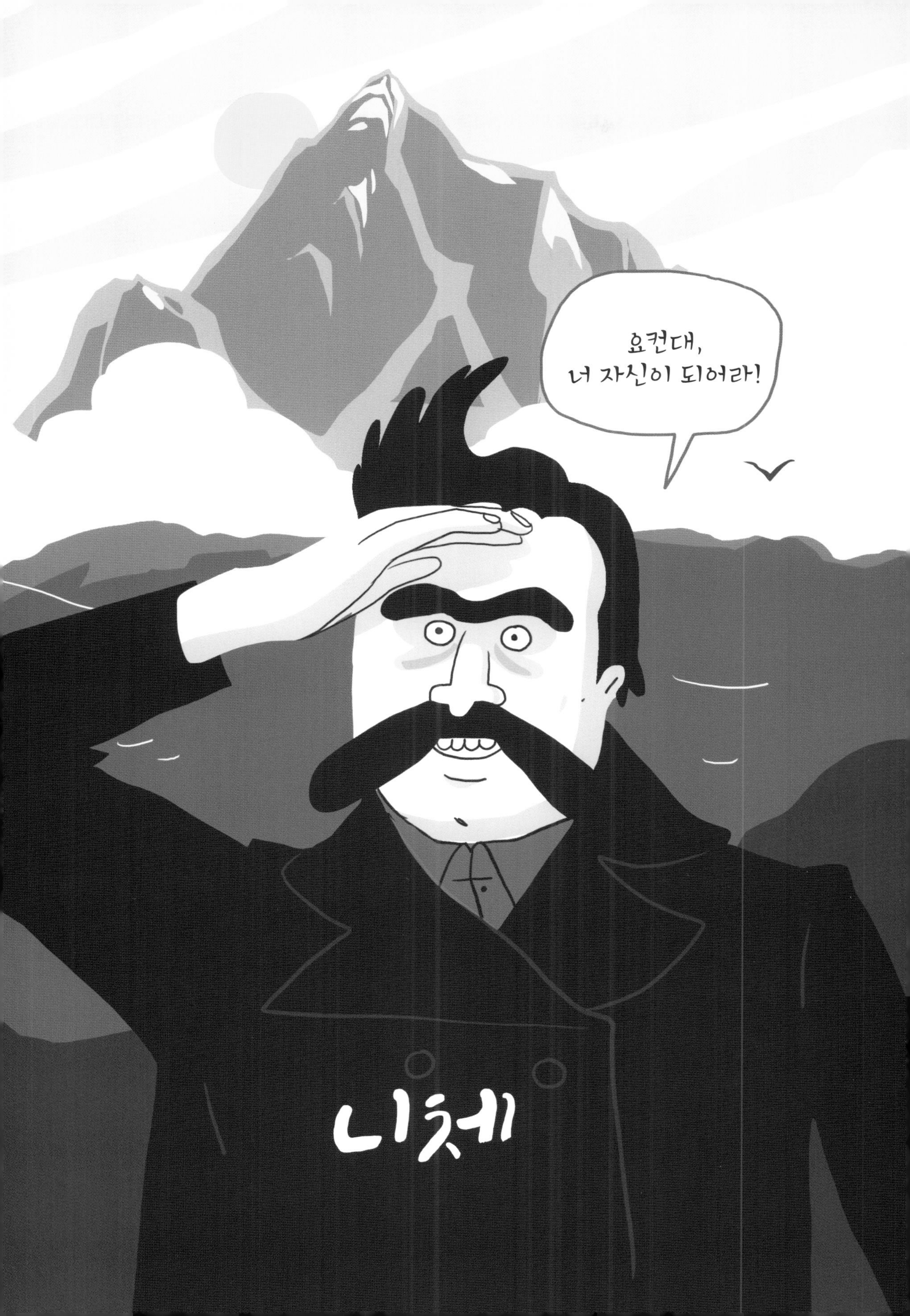
요컨대,
너 자신이 되어라!
니체

니체

독일 철학자·문헌학자·시인.
1844년 프러시아 뢰켄 출생
1900년 독일 바이마르 사망

주요 작품 :
비극의 탄생(1872)
즐거운 지식(1882)
차라투스트라는 이렇게 말했다
(1885)
선악의 저편(1886)
도덕계보학(1887)

니체의 행복 프로그램

행복은 자신의 완성에 있을 뿐이다.
자신과 세상에 자신을 드러내고,
무엇보다도 자신의 운명을
사랑하는 것이 중요하다.

활동 지역

행복하다는 것은 무엇보다도 자신을 구속하는 사슬을
벗어던진 상태를 말하는 것이 아닐까?

1장

세상을 싫어하는 사람

탁

안녕하세요. 부인...

안녕?

루 안드레아스-살로메
소설가, 니체의 친구

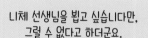

니체 선생님을 뵙고 싶습니다만,
그럴 수 없다고 하더군요.

네, 조금 늦게
찾아오셨어요.
그분은 이미 광기에
사로잡히셨어요.

아, 안타깝군요!
그간 저희가 다른 철학자들을
찾아뵙느라 시간을 내지 못했습니다.

지금 입원해 계신
상태입니다.

그분 어머님
말씀으론 어린 시절로
퇴행한 상태래요.

제가 보기에도
그런 것 같아요.

어떻게 하면 좋을까요? 저희는 어떻게든
니체 선생님의 사상을 이해하고 싶은데요...

프리드리히는 초인적인 강렬함으로
살아온 사람예요. 자유로운 존재,
현실 너머를 보는 현자예요.

그는 인류의 정신을
바꾸고자 했죠. 그 열정에
자신을 불태운 거죠.

난 그를 누구보다도
잘 알아요.

오세요,
설명해
줄게요.

하지만 먼저 니체가
태어난 시대적 배경을
살펴봐야 해요.

1880년대 독일은 격변의 현장이었죠.

풍경도 변했고, 인간도 변했어요.

더 생산하고 더 소비하라!

공장을 더 건설하라!

사람들은 돈과 성공에 집착해 스스로 자신을 상품으로 만들어버렸죠.

우리는 우리 힘으로 행복을 만들어냈다! 우리가 곧 진보이자 문명 자체다!

이제 인간은 아무것도 믿지 않게 됐습니다.

노동은 자발적 종속이 됐고, 삶은 의미를 잃었죠.

개같은 인생!

내 말이!

하지만 사람들은 이런 부조리를 직면하기보다 물질이 주는 안락을 통해 '안정'이라는 환상에 빠지고, 환상에 불과한 '웰빙'이라는 자기만의 둥지를 만들어 그 안에서 거주했습니다.

그렇게 비굴하게 타협하고 위선 속에서 살아갔죠.

모두 똑같이 생각하고, 정해진 대로 처신해야 해!

안 그러면 끝장이야! 도태된다고!

하지만 이런 척박한 환경에서도 어느 아름다운 아침, 희망의 씨앗에서 싹이 나왔습니다.

프리드리히는 그런 걸 견디지 못하고 말했죠, "이런 세상은 숨막혀!"

인간들이여,
깨어나라!

당신들의 세상에 대체
무슨 짓을 한 것인가?

대지는 이제
불모가 되리라.

...나무 한 그루 자라지 않는
메마른 땅이 되리라.

끼륵!

프리드리히!

어서 깨어나!!

인간이 가장 비참해지는
순간이 다가오고 있어!

자신을 경멸할 줄조차 모르는
인간이 맞이할 종말의 시간!

치유의 샘을 찾아라!

창조적 사고가
솟아나는 샘을!!

일어나!!!

아악!

1884년 독일 나움부르크.
프리드리히는 당시 나이
마흔 살이었어요.

대학에서
강의하고 있었죠.

프리드리히!
어머니?
네가 또 발작을
했단다...

이 시기에 그는 이미 아팠습니다.
두통 때문에 격렬한 발작을 일으키곤 했죠.

어머니...
그분을
또 봤어요!

에언자,
차라투스트라!

우리에게 경고했어요!!!
인류가 멸망하는 과정이
이미 시작됐다고 했어요!

아아!!

그럼, 프리드리히!
네 상상 속의 친구가
그렇게 말했겠지...

우리를 위해
피아노 연주 좀
해주겠니?

프리드리히라는
친구 말인데,
미친 거 아냐?

하하, 내 아들
프리드리히는 영민한
아이야. 게다가 자기
아버지만큼이나
신앙심도 깊지.

프란체스카 니체는
아들에 대해 아무것도 이해하지
못했던 것이 분명해요. 게다가
다른 사람들도 마찬가지였죠.

나만
빼고!

난 프리드리히의 신중함, 섬세함,
내면적 자아에 매료됐어요.

프리드리히,
건강은 어때요?

난 병자요, 루!
난 '문명'이라는
병을 앓고 있어요.

우린 함께 산책하기를 아주 좋아했어요.
물론 내 뒤에선 샤프롱*이 따라다녔죠.

* chaperon : 젊은 여자가 사교할 때 따라가 보살펴주는 나이 많은 부인.　　　167

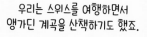

우리는 스위스를 여행하면서
앵가딘 계곡을 산책하기도 했죠.

글쓰기... 글쓰기가 고통을
많이 덜어줍니다.

물론 당신과 함께
있으면 큰 도움이 되죠.

난 엄청나게 많은
생각에 사로잡혀 있어요.
그중엔 내 병을 낫게 해줄
생각도 포함돼 있죠.

그는 자연을 사랑했어요.
자연에서 인간의 내적인 힘의
반향을 찾았던 거예요.

끼룩!

저 깊은 바닷속에서
불쑥 솟아오른 산처럼
우리를 저 높은 곳까지
끌어올려야만 해요.

자기 힘을 억누르지 말고,
마음껏 발산해야 해요.

프리드리히, 당신은 어때요?
당신 내면의 힘에 대해
내게 얘기해줄래요?

아, 나의 내면은...

온통 불과 얼음뿐인
완벽한 혼돈 상태죠.

그것은 마치 격렬한 급류처럼
내 안에서 뛰쳐나오고 싶어 하고
생명을 부르짖고 싶어 하죠. 하지만
뭔가가 그걸 억누르고 있습니다!

뭔가 검고, 무성하고,
캄캄한 것이!!!

당신은 그 콧수염부터
정리하는 게 좋겠어요,
프리드리히!

아, 그래요?

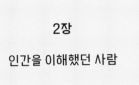

2장
인간을 이해했던 사람

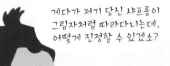

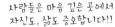

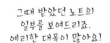

세상이 점점 더 나빠진다.
삶은 부조리한 가면무도회 같고, 인류는 파멸을 향해 달려간다.
그 원인은 무엇일까?

현대인은 어떤 존재인가?

이상도 없고, 신념도 없고 다람쥐 쳇바퀴 돌 듯이 살아간다. 어디로 가는지도 모르는 채 똑같이 생긴 무리에 섞여 무턱대고 앞으로 걸어가는 고뇌에 찬 양떼 같은 존재다.

나는 그를 마지막 인간이라 부른다. 그에겐 다양한 면이 있다.

세상은 너무 불공평해!

양심 품은 인간

모든 게 좋아, 그냥 이대로!

자기만족 하는 인간

양심 품은 인간은 좌절 속에서 살아간다. 삶에서 어려움을 당하면 꼼짝도 하지 않는다. 그러는 편이 지내기가 훨씬 쉽기 때문이다. 그는 어려움을 겪게 한 다른 사람들을 탓하고, 그러다 보면 성격이 점점 더 까칠해진다. 보복심을 품고 울분을 다른 사람들에게 쏟아낸다.

뭐라고? 세상이 잘못 돌아간다고?! 오히려 그 반대야... 이보다 더 좋을 순 없어! 자기만족 하는 인간은 진보가 인류 역사에 해피엔드를 약속한다고 진지하게 믿는다. 자기가 사는 세상에 철저히 조작당했기에 자기 생각을 돌아볼 만한 역사적 소양이 없다. 그는 인간 역사를 돌아봐도 이해하지 못한다. 왜 사람들은 언제나 서로 싸우고 갈등할까? 행복은 지금 누리는 이 안락과 작은 기쁨에 있다. 이것 말고 대체 뭐가 중요하다는 건가? 자기만족형 인간은 무엇이든 스스로 싸워 얻어본 적이 없는 문명의 수혜자이면서도 자기 성공에 만족하며 살아간다.

양심 품은 인간은 행동하지 않는다. 그는 단지 반응할 뿐이다.

지가만족 하는 인간은 모든 걸 실컷 누리며 산다. 하지만 정작 자신은 아무것도 만들어낸 적이 없다.

인간은 자신을 되찾고 행동에 나서야 해요.

자신의 잠재력을 새로 발견하고, 자기 내면에 있는 창조적 힘을 분출해야 해요.

살면서 자신에게 닥치는 것들을 활용하며 앞으로 나아가야 해요.

자신에게 부여됐거나 자신에게 부과된 것만 해서는 안 됩니다.

창의성의 근원

자신을 완성하는 방향으로, 즉 진정한 자신을 향해 나아가야 합니다.

자신과 남을 위해 가장 훌륭한 일을 할 수 있는 고유한 존재가 돼야 합니다.

그렇게 스스로 변해가는 길고 긴 여정에서 우리는 행복을 찾게 됩니다.

새가 하늘 높이 날아오르려고 날개를 활짝 펴듯이, 무한히 자기 한계를 벗어나는 거죠.

부담과 절망, 죄책감과 선입견에서 해방되면 큰 희열을 느낍니다.

그렇게 내가 말하는 **초인**이 되는 겁니다.

당신이 쉽게 이해하도록 몇 가지 예를 들어볼게요.

사례 1

자기충족

필립,
좋은 집안 상속자

어린 시절 필립은 예술가가 되고 싶었습니다.

뭐?!!
예술가가 되겠다고?
그건 제대로 된 직업이 아냐! 절대 안 돼!

집안 망신이다!
꿈도 꾸지 마!

하지만 부모는 그의 꿈을 허락하지 않았습니다.

필립은 기억하지 못하지만, 어린 시절 꿈 많은 어린이였습니다.

그리고 놀라운 창의력으로 넘쳤습니다.

필립은 가족과 사람들, 사회적 통념에 굴복해 결국 예술가의 꿈을 버렸습니다.

예술가가 되겠다고?
죽으라고 고생해봤자
입에 풀칠도 못 할 텐데!

집안이 부유하니
노력하지 않아도
얼마든지 넉넉하게
살 수 있었습니다.

결국 필립은 자신이 예술을 하기에
적합하지 않다는 결론을 내렸습니다.
사실은 현실을 직면하기가 두려웠던 거죠.

예술가의 꿈을 버리고 물려받은 유산으로
수익성 좋은 사업에 투자했고, 돈을 많이
벌면서 안락한 삶에 집착했습니다.

오랜 꿈을 이루지
못했는데 좌절하진
않았소?

하하.. 아니요.
예술가의 삶은
너무 고단하죠!

필립은 심지어 꿈을 버린 것을 기뻐했습니다.

세월이 흘러 필립도 이제 늙었고,
전형적인 순응주의자가 됐습니다.
한 번도 어려움을 겪은 적이 없는
그의 인생에는 놀라움도 없습니다.

휴우...

때로 그는 자기 인생에서 뭔가 중요한 것을
놓친 것은 아닌지 막연하게 혼란을 느낍니다.

하지만 그런 순간은 고작 3초뿐이고,
필립은 다시 필립으로 돌아갑니다.

여보, 저기
예술가 좀
보세요!

예술가야,
거지야?

아하하!

자기기만
하는 중

필립은 인간으로서 자신의 잠재력을
실현하지 않았습니다. 그는 아무것도
창조하지 않았고, 창의적인 어떤 것도
다른 사람들에게 주지 않았습니다.

자신을 세상에 하나밖에 없는 인간이게 하는
바로 그것을 드러내지 않기에 필립은
비록 부유해도 실패한 인생을 살고 있습니다.

자신을 해방하고 싶다면
따라야 할 모델

귀스타브

귀스타브는 정육점에서 일했습니다.
정육업은 6대째 대대로 이어오는
가업이었습니다.

제가 이 집안
6대손입니다.

하지만 마음 깊은 곳에서 귀스타브는
자신이 선조들과 다르다고 느꼈습니다.

전 동물을 죽이기보다
돌보고 싶어요, 아빠!

전 수의사가
될 거예요!

뭐라?!!

그건 마음에서 우러나온 진심이었습니다.
귀스타브는 이제 행동해야 했습니다.

이런 일이 내게 닥치다니!
그럼, 가업은 어쩔 셈이냐?
아무 상관 없다는 거냐?

아빠, 가족은 소중하죠.
하지만 제가 좋아하는 일을
한다면 다른 사람들에게 저의
최선을 줄 수 있을 것 같아요!

집안에 평지풍파를 일으키는 결정이었지만
한 번뿐인 인생이었고, 무엇보다도 귀스타브
자신의 인생인데 맘껏 만끽하고 싶었습니다.

집안의 반대를 무릅쓰고 귀스타브는 수의학 공부를 시작했습니다.

선생님, 안녕하세요? 우리 강쥐를 좀 봐주세요!

그리고 동물병원을 개원했습니다.

귀스타브는 자기 마음의 소리를 따랐고, 스스로 선택했습니다. 아무도 부정할 수 없이 그는 자기 인생의 주인공입니다.

브라보, 귀스타브!

사례 2

양심 품은 인간

마르가레테, 루 안드레아-살로메의 샤프론

마르가레테는 좌절했습니다. 남자만을 위한 사회에서 태어났기 때문이었죠.

흥! 남자만 인간인가!

사람들은 결혼 적령기를 지났어도 혼자 사는 마르가레테를 사회 규범에서 벗어난 존재로 간주했습니다. 물론 그녀도 그것을 느꼈고, 몹시 부당하다고 생각하며 분노했습니다.

노처녀야!   불쌍한 것!

난 이 세상이 싫고, 이 시대가, 인간이, 특히 나 자신이 싫어!

마르가레테는 현실을 잊고자 왕가 소식을 소개하거나 아름답던 과거 시절을 돌아보는 잡지에 빠져 헛된 꿈을 꾸며 지냈습니다.

휴우...

맞아! 예전엔 사람들이 멋지고 품격이 있었어!

그녀는 불공평한 삶을 복수하고 싶어 모든 것, 모든 사람, 특히 다른 여자들을 헐뜯었습니다.

마르가레테는 스스로 미래가 없다고 느꼈고, 그런 사실이 두려웠습니다. 그리고 그런 상태로 죽을 때까지 살아야 한다고 생각했습니다.

이번 생은 망했어. 행운은 나와 너무도 거리가 멀어, 젠장!

마르가레테는 심각한 궁지에 몰렸습니다. 어떻게 해야 거기서 빠져나올 수 있을까요?

자신을 해방하기 위해 따라야 할 모델

안뇽!

한스는 공장 노동자입니다.

얼마 전 사고로 한쪽 눈의 시력을 잃었죠.

끔찍해! 이러다가 실업자가 되겠어!

하지만 한스는 십사리 좌절하지 않았습니다.

우릴 죽이지 못한 것은
우리 더 강하게 하지!

맞는 말씀!

그는 다른 감각, 특히 미각과 후각을 집중적으로
훈련했습니다. 그리고 맥줏집에 취직했습니다.

혼자 힘으로
새로운 맥주도
개발했죠!!

한스는 이 새로운 직업에서 빛을 발했습니다.
자신의 장애에 대해 농담하는 여유도 보였죠.

한쪽 눈을 감고 있으니
주인 집 딸은 내가 자기한테
윙크하는 줄 알았나 봐!

하하하!

결국 우린
결혼하게 됐어.

그럴 수가!

결국 내 장애가 내 인생을
더 행복하게 만들어졌어!

아닐세, 한스!
자네 자신이 자네
행복을 만든 걸세!!

자네에게 일어난 나쁜 일을
이용해서 오히려 자네 삶이
더 높이 날아오르게 했지.

그건 대단히
큰 힘이었어!

마르가레테는 자기 행복이 오로지 자신에게
달렸음을 깨달았습니다. 마음속에서 앙심을
키우기보다는 자기 운명을 받아들이고 꾸준히
앞으로 나아가기로 굳게 마음먹었습니다.

난 노처녀야.
그러니 자유롭고
사치를 부릴 수도
있다는 뜻이지.

난 바느질도 잘하고,
영감도 풍부해. 그러니
공예품을 만들어 팔자!

이제 마르가레테는 자기 인생의 주인이
됐습니다. 그녀는 곧 라이프치히에서
자기 가게를 열고 사업가가 됐습니다.

새끼 고양이들
수를 놓아야지.
손님들이 엄청
좋아할 거야.

자신을 바라보는 시선을 바꿈으로써
그녀는 자유를 쟁취했습니다.

브라보, 마르가레테!

프리드리히, 당신 분석은
대단히 설득력 있군요.

그걸 간략한 도표로 만들어
다시 정리해보도록 하죠!

출발점은
저 아래

속박에서 스스로 벗어나는 방법

너 자신을 초월하고,
더 높이 날게 하여
무한히 펼쳐 보이라!

초인이 돼라

너는 네 삶의 창조자다.
내면의 태양으로 빛난다.

내면의 창의적 잠재성을
찾아 너 자신을 새롭게
태어나게 하라.

**3단계
변신하라**

세상에 하나밖에 없는
존재, 너 자신이 돼라!

널 발견하고
있는 그대로의 널
사랑하라.

**2단계
자기 운명을 받아들이라**

네게 닥친 일을
이용해서 앞으로
나아가라.

조각가가 흙을 덜어내며
작품의 형태를 만들듯이
너를 새롭게 만들려면
지금의 너를 부숴야 한다.

**1단계
족쇄를 깨부숴라**

변화를 두려워하거나
자신을 속이지 마라.

변화가 두려우면서도
아무 일도 일어나지 않는
현실에 좌절하고 있어?

출발점

네 삶은 어쩌면
너무 순응적인지도 몰라!
내가 제시하는 방법을
차근차근 따라 하다 보면
네 삶의 주인이 될 거야.

루, 아시겠어요?
누구나 그렇게 할 수 있어요!

우리 내면에 있는
이 힘을 의식한다면
누구라도 새로운 존재로
다시 태어날 수 있어요.

하지만 사람들은 나약함,
선입견, 흑백논리, 심지어
광신의 유혹에 끊임없이
굴복하고 일어서지 못해요.

그들은 막다른 골목으로
들어가고 있어요. 20년이
채 걸리지 않을 거예요.

프리드리히 예측이 맞았죠!
20년 뒤에 제1차 세계대전이
시작됐잖아요.

섬뜩하죠?

이제 여러분이 행동하실 차례예요!
난 결혼하지 않고 글쓰기에 전념하고
싶어요. 어쩌면 정신분석학에
몰두할지도 모르죠.

옳소!

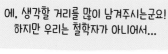

에, 생각할 거리를 많이 남겨주시는군요!
하지만 우리는 철학자가 아니어서...

상관없어요!
자신의 내면을
들여다보세요.

두려움 없이
내면을 탐험해봐요.
뭐가 보이죠?

아, 저기!!
저기 좀 봐!

뭐?

뭘 보라고?
네 손가락?

저기 새를 보라고!
멋지지 않아?

나 지금
바쁜 거 안 보여?
그렇게 한가해?

우린
먹고살려고
일한다고!!

176

난 그만둘래.
여기엔
내 자리가 없어.

뭐?

이 일은
부조리하고
비인간적이야!

너 그만둔다고?!!

자, 다들 잘 있어.
의미 없는 삶은 그만!
난 내 창조적 잠재성을
해방한 삶을 살 거야!

우와아아!!

자, 안녕!!

뭐라는 거야?

철학의 출현

철학의 출현
이전 세계에 대한 개념

출연
세계　　인간　　신

세계
사냥하고 낚시하기에 좋은 곳

신
엄청 많음!
끊임없이 서로 싸움.
온종일 그 많은 신에게
제사를 올림.
게다가 그들이 입은 피해도
보상해줘야 함.

인간
사냥과 낚시를 좋아하는
단순한 존재.

철학 탄생
초기 세계의 개념

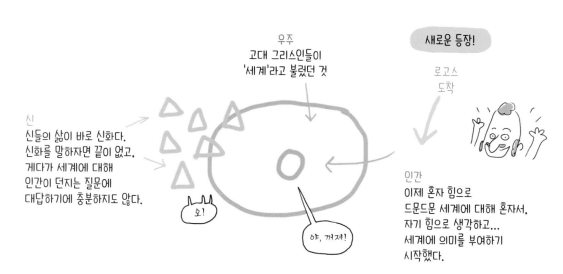

우주
고대 그리스인들이
'세계'라고 불렀던 것

새로운 등장!

로고스
도착

신
신들의 삶이 바로 신화다.
신화를 말하자면 끝이 없고,
게다가 세계에 대해
인간이 던지는 질문에
대답하기에 충분하지도 않다.

오!

야, 꺼져!

인간
이제 혼자 힘으로
드문드문 세계에 대해 혼자서,
자기 힘으로 생각하고...
세계에 의미를 부여하기
시작했다.

옛날옛날
아주 오랜 옛날,
까마득히 먼 은하계에서
인간이라고 불리는 존재들이
평화롭게 시간을 보내고 있었습니다.

조심! 전례 없는 사건이 곧 벌어지고
전 인류를 동요하게 할 연쇄 반응이 일어날 참이었습니다.

중세 철학과 기독교

중세, 세계의 새로운 개념

출연

세계   인간   신

변화!!!

유일신
유일하고 전능한
기독교의 신

세속적 삶의 세계
신으로부터 우리를
멀어지게 하는
온갖 죄악과 장애로
가득한 더러운 곳.

인간
애초에 모든 걸 망쳐버린
머저리이며 행복이 기다리는
천국에서 신을 다시 만나려면
스스로 역경을 헤쳐나가야 하는
존재.

보조

철학적 사고 기독교적 개념

이 모든 상황에서 철학적 사고는?

이성   신앙

313년 밀라노 칙령에 따라 기독교가 로마제국의 국교로 지정됐지만,
대부분 철학자는 이 종교를 인정하지 않고, 아테네 철학 학교들은 문을 닫았지.

새로운 개념들이 제기됐습니다.
계시, 구원, 신앙... '신앙'이 '이성'을 압도했습니다.
이성은 심지어 신의 존재를 정당화하는 도구가 됐습니다.

철학적 사고는 중세 심연으로 사라지고
기독교 신앙이 도래한 걸까요?

중세는 오래된 역사서들이 말하는 것과 달리 그리 혼란스러운 시대가 아니었습니다.
오히려 아름다움을 창조하고 철학적 지식을 변화시키고 완성하고 전달하는
지속적인 재탄생이 계속되던 풍요로운 시대였습니다.

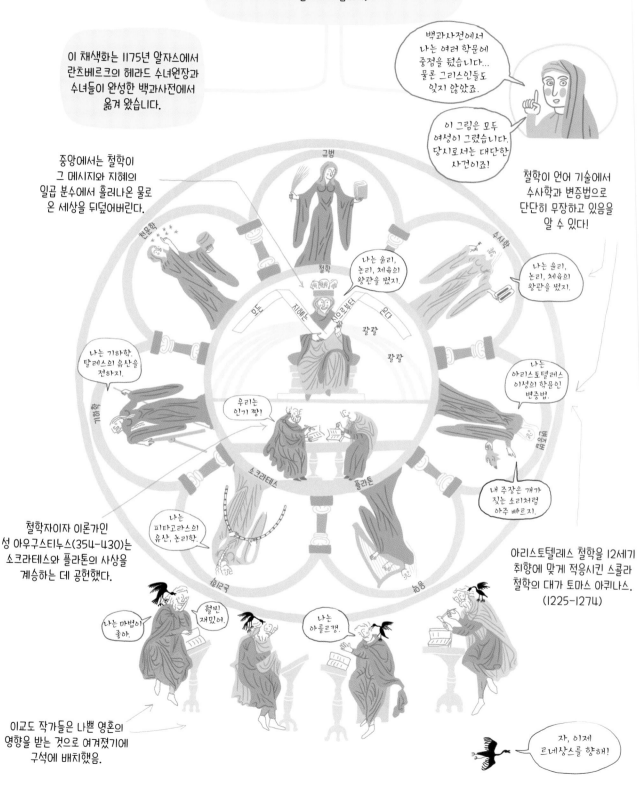

르네상스에 이르러 인간은
세계의 중심에 왔다

예술과 과학, 문학 분야에서 예외적인 발전을 기록한 르네상스 시대는
고대 철학자들을 무대의 전면에 올려놓았다.

출연

세계   인간   신

신
언제나 유일하고
전능한 존재.

세속적 삶의 세계
언제나 북적북적한 곳이지만
놀랍도록 풍요롭고
배울 것이 많은 영감의 원천.
여기서 심지어
행복할 수도 있음.

인간
결국, 괜찮은 존재였음.
과학, 의학 등 여러 분야에서
놀라운 발견을 이루기도.
대단해!

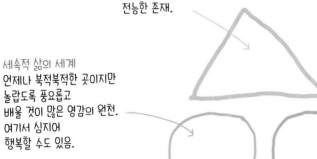

사고가 **인본주의** 차원을 드러냄

일상에서 만나는 철학

드디어 여름이 왔습니다. 작열하는 태양, 여름휴가의 계절! 하지만 매년 똑같은 문제에 부딪힙니다.
어떻게 모든 걸 만끽할 수 있을까요? 어떻게? 일 년 내내 고대해온 이 즐거움의 순간이 완벽한 것이 되게 할 수 있을까요?
에피쿠로스는 이렇게 묻습니다.

성공적인 여름휴가는 어떤 것일까요?

하지만 로베르와 마르틴은 그따위 가르침에 아무 관심 없었습니다. 그들에게는 오로지 재미있게 지내는 것이 중요했죠!

와우!

드디어 출발! 마음껏 즐기자!

TOURISTAIR

프랑스에서 오신 피샤르 씨 부부입니까? 목욕 가운을 입고 **유포리아 파라다이스**에서 행복하게 지내세요!

오! 완전 대박이야 로베르!

신나게 놀아보자, 여보!

WELCOME

에피쿠로스 철학 원칙 1

즐겁게 살아라. 인생은 짧고 행복은 기다려주지 않는다!

뭐, 전혀 어렵지 않네!

맞아!! 공짜로 제공되는 건 다 해봐요!

마르틴과 로베르는 지방 태우기, 태양열 샤워, 뙤약볕 아래서 하는 마라톤으로 구성된 '소시지' 프로그램에 참여했습니다.

코치가 8시간 뒤에 점검하러 올 겁니다.

눈을 떠보면 신디 크로포드 몸매처럼 돼 있겠지!

다음 코스는 전 세계 음식을 맛볼 수 있는 무한 리필 뷔페!

껍질 벗겨지겠어!

괜찮아! 자, 배를 빵빵하게 채워보자고!

푸아그라로 속을 채운 바다가재로 시작해서 마다가스카르식 슈크루트, 브라질식 카술레로 달려보자!

피샤르 씨, 달리다가 잠시 쉬시는 중?

웩 웩

서둘러요, 로베르! 이러다가 다른 공짜 프로그램 다 놓치겠어!

에피쿠로스 철학 원칙 2

쾌락을 추구하되 본성에 부합하고 적합한 쾌락만을 찾아야 한다.

기왕에 아찔한 경험을 해보기로 작정했으니 백퍼 스릴을 맛보자고!

아드레날린 뿜뿜 나오는 프로그램예요!!

로베르와 마르틴은 서슴없이 제트 스키 프로그램에 참여했습니다.

아아!! 단단히 매달려요!

부르르르릉

ororororor oror!!

첨벙!!

그리고 스파에서 태국 마사지도 받았습니다.

끝나면 몸이 개운할 겁니다.

짝!

짝!

짝!

으악

삐걱

oror

ㄱㄱㄱ

194

피샤르 씨, 벌써 지쳤나요? 낮잠?

여보, 10분 뒤에 다음 프로그램 시작이야!

에피쿠로스 철학 원칙 3

원하던 만큼 쾌락을 즐겼는가? 그렇다면 쾌락을 더 원해서 모든 걸 망치지 마라! 분별 있는 태도가 인간을 행복으로 인도한다.

완벽한 여름휴가를 보내려면 밤새도록 파티를 즐겨야 해!

그러려고 여기까지 왔지!

피샤르 씨! 오늘 저녁 '막가파' 파티에 오십니까? 거기엔 배짱이 국보급인 사람들만 오는 거 아시죠?

물론 알죠! 단체로 변장하고 게임하는 파티 아닙니까?

여보, 우리가 본때를 보여주자!

♫옷을 벗어라ㅏㅏ♪ 홀랑 벗어라♪

자, 모두 옷을 홀랑 벗고 네발로 기어가세요!

오늘 저녁에는 뷔페 주변에서 거대한 인간 지네 놀이를 합니다!

와ㅏㅏ!!!

짱이야!!!

이제 겨우 새벽 네 시인데 벌써 지친 거요?

애프터 파티 디저트도 있어요!

오예!!!

셰프의 특별 메뉴!

피식

그만해, 온몸이 다 쑤셔! 사람 살려!

내 마누라 좀 그만 괴롭혀! 집에 갈래!

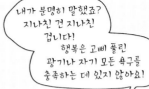

내가 분명히 말했죠? 지나친 건 지나친 겁니다! 행복은 고삐 풀린 광기나 자기 모든 욕구를 충족하는 데 있지 않아요!

자기 육체의 한계와 욕구를 인정하고 욕망이 이와 조화를 이룰 때만이 행복해질 수 있는 거요.

그건 아름다운 자세고 복잡하지도 않아요. 자, 날 보시오. 내가 그걸 매일 실천하다 보니 이런 결과를 얻었소!

피부가 소녀처럼 희고 매끄럽죠?

교훈

성공적으로 여름휴가를 보내려면 '올인'하지 말고 '중용'을 지켜 절제된 쾌락을 누려야 한다!

그것이 평정으로 충만한 행복의 열쇠다.

이런 사실을 깨달은 로베르와 마르틴 피샤르 부부도 아름다운 휴가를 보내게 됐다.

캠핑하면서 마누라와 TV도 보고, 술도 마시고, 뭘 더 바라겠나?

이게 홈 스위트 홈이지! 호박 한 조각 더 드려요, 달링?

아리스토텔레스에게 철학을 묻다

인간은 본성적으로 사회적 존재입니다. 행복해지려면 다른 사람들과의 관계에서 자신을 꽃피울 필요가 있습니다.
게다가 하루의 3분의 2를 직장에서 보내는 사람에게 풍부하고 자극적인 인간관계를 발전시키는 일은 필수적입니다.

직장에서의 우정은 가능할까요?

오늘날 사람들은 오로지 개인과
성공만을 중요시합니다. 그럼,
인간관계는 어떻게 됐을까요?

아리스토텔레스 48세,
그리스 철학자, 기원전 4세기

내게 중요한 건
내 개인 삶과
일자리뿐이야!

각자 자기 삶을
사는 거지. 직장은
돈 벌려고 나올 뿐.

누가
친절하게 굴면
그러는 목적이 먼지
의심해야 해.

안녕,
장 피에르!

봤지?
먼가 있어!

사람 사이
연대를
재건하기가
쉽지 않아요.

내 책 『니코마코스 윤리학』은
타자와 함께 사는 법과 처신에 대한
제안으로 어떻게 우정을 성공적으로
나눌 수 있는지 설명했어요.

단순한 우정이
아닙니다....

최종 최고 형태의
진정한 우정!

다른 무엇과도
비교할 수 없고,
거대한 지혜와
전례 없는 행복을
향해 열려 있는
관계!

관심 있습니까?
예를 들어보죠.

여기 베르나르는 남자가 있습니다.

안녕?
또라이들!

베르나르에게는 문제가 있었습니다.

친구들! 퇴근하고
한잔 어때?

클릭 클릭 클릭
클릭 클릭 클릭
클릭 클릭
클릭 클릭
클릭 클릭 클릭

10년째 코기포에서 일하면서도
친구를 한 사람도 만들지 못했죠.

클릭 클릭 클릭
클릭 클릭 클릭
클릭 클릭
클릭

뭐라고 했어?

아, 싫어!

197

하지만 이제 모든 게
달라질 겁니다. 아, 베르나르가
푸시니의 이동도서관에 있군요.

아리스토텔레스의
『니코마코스 윤리학』,
"우정에 대한 당신의
시각을 바꿔놓을 책"

잘됐어.
딱 내게
필요한
책이야.

내가 제시한 방법을
베르나르가 차근차근 따른다면
자기 최고의 장점을 세상에
베풀게 될 거예요.

성공한다면 그가
상상하는 것보다 더 많은 것을
되돌려받겠죠!

1단계
자신의 본성적인 이기심을 벗어나 사심 없이 남들에게로 향하라.

한구석에 틀어박혀
내 일만을 하기보다
남들에게 도움이 되고
기분 좋은 일을 하라.

베르나르! 코피덴스 관련
보고서 끝냈나?

끝내지 못했습니다, 부장님.
하지만 클립과 커피 캡슐로
휴게실을 멋지게 장식했습죠!

2단계
진실하라.
자신과 조화를 이루지 못하면 남들과도 조화를 이룰 수 없다.

베르나르! 벽에 걸어놓은
저 한심한 장식 좀 걷어버리고
연말 결산 자료부터 끝내!

넵!

그리고 남들 생각도
좀 해줘! 그 촌뜨기 같은
헤어스타일도 어떻게
좀 해보라고!

내 헤어스타일은
내가 아는 가장 진실한
사람, 바로 가수 프란시스
카브렐의 헤어스타일을
따라 한 거야.

"사랑하는 마리,
난 넋이 빠져 그대를
기다린다네..."

사람 살려!

3단계
옳은 길로 들어선 베르나르.
그 길은 선의의 길이고, 거기서 선의를 품은 다른 사람들을 만날 수 있다.

크리스티앙! 10년째
옆에서 일하면서도
대화한 적이 없잖아.

난 자네가
남들과 소통할
준비가 돼 있다는
걸 알아. 우리
소통하자고!

그래, 네가 먼저 마리티노
관련 서류를 마감하고,
내 복사물을 정리해주고, 프린터를
고쳐주면 페북과 인스타에서도
널 친구로 받아줄게.

내 도시락통도
좀 씻어줘!

그리고 남들 생각도

좋아! 점점
나아지고 있어!

그래요, 베르나르!
이 단계에서 당신은 착하고 헌신적인
사람이 됐습니다. 남들도 그 사실을
인정하고 칭찬하죠.
심리적으로도 안정을 찾은 당신은
진정한 우정을 나눌 준비가 됐습니다.

야호!
신난다!

여기는 구내식당. 여러 사람을 만날 최적의 장소!

게다가 여기 라자냐 맛은 최고!

디저트 대기줄에서 갑자기...

앗! 초콜릿 무스가 하나밖에 남지 않았어! 다른 사람에게 양보하는 수밖에 없네.

회계부 디디에가 마지막 남은 디저트를 양보하는군!

저 바보 덕분에 초콜릿 무스 먹게 됐어!

그 순간, 베르나르는 디디에도 자기처럼 남들을 배려하는 사람이라는 걸 알게 됐습니다.

안녕! 조금 전 자네 행동은 정말 훌륭했어!

고마워! 나도 널 알고 있는 것 같은데, 우리 친구가 될까?

첫눈에 반한 애인처럼 두 사람은 서로 강한 인상을 받았습니다. 그때부터 진정한 친구가 됐죠.

이 크렘 브릴레 먹을 텐가?

자네 먹게!

자네가 먹어.

자네가!

주말에 함께 캠핑하러 갈까?

최대한 남들을 배려하고 사랑하면서 그들은 인간으로서 완성돼갔습니다.

부장님! 우리 회사를 사랑으로 가득 채울 아이디어가 있어요!

합창단도 만들고 체력강화 등산팀도 만들어요!

회계부에 마사지 클럽도!

이제 무슨 헛소리야! 당장 자리로 돌아가! 난 너희하고 노닥거릴 시간 없어!

그때부터 그들은 같은 방향으로, 즉 보편적 선을 향해 나아갔습니다.

자전거 주차대를 함께 만듭시다!

말꼬리로 가발을 만들어봐! 자네한테 잘 어울릴 거야, 크리스!

아, 저 끔찍한 동성 커플!

저건 우리를 동요시키려는 전략이야!

부장님! 보세요! 회사 분위기를 살리려고 회의실을 노란색 핑크색 포스트잇으로 장식했어요.

야! 덤 앤 더머! 이제 그만 좀 해! 너희가 우리 기를 다 빨아들여서 일도 못 하게 하잖아! 15일간 강제 휴가다! 회사에 오지 마!

꿀 좋다!

알았어요, 부장님! 우리가 돌아올 때는 이상적인 우정을 보여드리죠.

브라보 디디에! 브라보 베르나르! 두 사람은 드디어 성공했습니다!

네, 다른 사람들은 달라질 준비가 돼 있지 않았죠. 하지만 두 사람은 일터에서 사람들과 진지하고 지속적인 관계를 쌓아갔습니다. 그 길을 꾸준히 걸어가십시오!

그렇게 모두가 위대한 모험을 향해 달려가게 됩니다. 즉 가장 큰 행복의 원천인 진정한 우정을 향해서!

우리 관계도 성장하고 있어, 디디에! 날이 갈수록 점점 강해지는 걸 느낀다고!

어서 회사로 돌아가고 싶군! 자, 동료들에게 보낼 셀피 한 것!

찰칵!

어떻게 겨울 우울증을 벗어날 수 있나요?

가을이 되면 슬슬 기분이 처지기 시작하나요? 계절 변화에 따른 우울증이 성큼 다가옵니까?
이런 시련을 담담하게 이겨내려면 어떤 해결책을 찾아야 할까요? 다른 데서 찾지 마세요. 여기 그 묘안들을 소개합니다.

드디어 공식적으로 발표됐습니다. 일기예보 담당자가 말하는군요. "겨울이 왔습니다!"
소피젝스 주식회사 각 부서는 집단 공포에 사로잡혔습니다.

이런 문제에 전문인 대가가 있어 다행입니다!

아르투르 쇼펜하우어, 69세,
19세기 독일 철학자

"겨울이 오고 있다."
이 문제를 어떻게 생각하십니까?

바야흐로 겨울이 다가오는데… 이럴 때면
만물이 움츠러들고, 속으로 파고들고,
겨울에 맞설 준비를 하지 않습니까?

흠… 그럼 우리 독자에게 들려주실
실질적인 충고 같은 것은 없을까요?

그 사람들과 달리 무엇을 제안하시겠어요?

쇼펜하우어 씨, 자신이 너무
각박하다고 생각하지 않으세요?

201

1단계

낮이 짧아진다.
이것은 겨울로
들어간다는 신호다.

자,
여러분, 일찍
어두워지지만
우리에겐 대책이
있소.

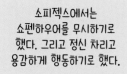

새로 개발한
'핀란드 광선 치료' 램프가
589.99유로예요. 이거면
여름을 연장할 수 있지!

오, 멋져요!
사무실마다
하나씩
설치합시다!

선탠을 계속하려면
일주일에 149유로
할인가로 태양열
소파를 렌트합시다!

복도 끝에 있는 한 사람만 빼고
모두가 겨울을 준비했죠.

장 마리는
변화를 느끼지
못하나 봐!

창문도 없이
꽉 막힌 방에서!
하하하!

실제로 장 마리는 아무것도 느끼지 못했습니다.
그에게는 여름도 겨울도 다를 바 없었죠.

난... 겨울이
오면 그냥 오나
보다 해요.

광합성은 내년
여름에 하면 되죠.

장 마리 세른, 46세.
잉크 카트리지 사업부 부장

2단계

나쁜 날씨가 찾아왔다!
아침마다 안개가 끼고
부슬비가 내린다.

날씨가
험악한가? 좋아!
대책을 세우자!

난 조금 일찍 일어나
내 자동차 좌석을
미리 따뜻하게 해놓지!

난 실내 난방을
32도로 유지해요.
7월 날씨처럼!

849유로
관광상품으로 인도양
섬나라 세이셸 여행.
한겨울에 마법처럼
여름 날씨를 즐겨보자!

장 마리는 날씨가 추워졌지만
전혀 동요하지 않습니다.

1992년부터 사용하는
온열 허리띠가 있으니
아무리 추워도 끄떡없어!

우리 둘은 어떤
변화에도 난공불락
이라고! 하하!

3단계

본격적인 추위가 찾아왔다.

어둡고, 을씨년스럽다.
게다가 모든 게 얼어붙는다.
사는 재미도 대번에 사라졌다.

콧물이 흐르지만,
난 견뎌낼 거야.
굴복하지 않아!

759유로짜리
다운재킷을 입었으니
집에서 지하철역까지
따뜻하게 갈 수 있어!

난 458유로짜리
고어텍스® 신발을 신고
버스에 탈 거야!

난 블루투스와
USB 충전 기능이
있는 방한화를
단돈 239.50유로에
샀어요!

반면에 도사 같은 장 마리는 채우기보다 오히려 비우기를 좋아합니다.

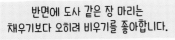

인터넷 광고는 모두 휴지통으로!

난 10년도 더 된 내복 하나면 충분해!

광고
겨울
세일
-50%

스웨터
바지
여행
타이어
토탈

클릭 클릭

4단계

최후의 공격! 전염병이 창궐하고, 날씨는 끔찍하고, 우울한 분위기가 전반적으로 자리잡음.

소피젝스 직원들은 지리멸렬 패잔병이 돼버렸다!

에취! 에취! 뼛속까지 춥다!

더는 못 참겠어!

감기 예방 비타민을 어디 뒀지? 어떻게든 면역력을 올려야겠어!

난 119유로에 '행복 허브차 50개 세트'를 샀어. 좀 마셔볼래?

켁켁!

사무실을 소독해요. 소독약 스프레이를 나눠주세요!

치이이익!

지슬렌이 졸도했어! 어서 89.99유로짜리 에센스 오일 전기 디퓨저를 가져와!

끔찍하군. 2개월 전부터 준비하고, 모든 경우에 대비했는데 겨울이 닥쳤고 죽을 것처럼 아프네!

장 마리는 멀쩡하잖아? 활짝 핀 몰골은 아니지만, 그래도... 잘 버틴 것 같아!

비결? 그런 거 없어. 그저 아무것도 하지 않았을 뿐이야!

쇼펜하우어처럼 난 그저 인생을 흘려보냈지. 난관이 닥치면 이를 악물고 그것이 지나가기를 기다렸어!

훌쩍!

세일 -50%
탕약 추천자

죽고 싶어...

룰루랄라...

당신 비결은 뭐야?

그래서?

원하면 보여줄게. 아주 간단해!

그래, 장 마리. 당신은 모든 걸 이해했어요! 비결은 바로 버리는 거죠. 욕망을 버리고, 사물의 흐름을 바꿔놓으려는 생각을 버리는 거예요.

누구나 자기 몸을 먹을 수 있는 한 판의 피자처럼 자신에게 공평하고, 스스로 거기에 적응하는 거죠. 그러면 아무리 추운 겨울이 와도 전혀 흔들리지 않아요. 동료들에게도 모범이 됐죠.

하지만 동료들은 수준 미달!

자, 여기 브뤼셀식 브로콜리-양배추 수프를 준비했어요. 마시면 기운이 날 겁니다!

아, 제철 채소야말로 최고죠!

토 나와!

저건 정말 끔찍해.

하지만... 보세요. 벌써 1월 15일!

허비할 시간이 없죠. 여름을 준비합시다!

15 JAN

비타민 D 필요한 사람? 난 조깅화도 샀다우!

봐요! 헬스장에서 입으려고 세일 중인 특수 수영복도 샀다니까!!!!

필로코믹스

10명의 철학자가 말하는 행복의 비결

1판 1쇄 발행일 2021년 5월 10일
지은이 | 장 필립 티베, 제롬 베르메, 안 리즈 콩보
그린이 | 안 리즈 콩보
옮긴이 | 이나무
펴낸이 | 김문영
펴낸곳 | 이숲
등록 | 2008년 3월 28일 제301-2008-086호
주소 | 경기도 파주시 책향기로 320, 2-206
전화 | 02-2235-5580
팩스 | 02-6442-5581
홈페이지 | http://www.esoope.com
페이스북 | facebook.com/EsoopPublishing
Email | esoope@naver.com
ISBN | 979-11-91131-12-3 07160
ⓒ 이숲, 2021, printed in Korea.